JN004843

P A N Z E R T A L E S

WORLD TANK MUSEUM

Complete Works

ワールドタンクミュージアム全集

モリナガ・ヨウ［著］

大日本絵画

序文 Foreword

吉祥寺怪人 KISSYOUJI Kaito

本書は、『ワールドタンクミュージアム図鑑』(2005年) に未収録だったWTM第８弾以降のモリナガ・ヨウさんの解説イラストを網羅した、WTM発売20周年を記念した書籍です。ここでは、モリナガさんのWTMとの出会いから本書に至る流れを、両書の編集に携わった吉祥寺が振り返ってみたいと思います。

モリナガさんとわたしは1998年からコンビを組み模型雑誌の仕事をはじめました。おもに戦車プラモ好きの方々向けの図解記事の連載です (『モデルグラフィックス』連載、[35分の１スケールの迷宮物語]、『アーマーモデリング』にて模型雑記連載／以下AM／両誌ともに小社刊)。同年がちょうどタミヤの35分の１スケール戦車プラモ［MMシリーズ］発売30周年ということもあり､20世紀末は戦車プラモ人気が再び熱を帯びはじめていたのです。

そんな状況下､1999年秋の全日本模型ホビーショー会場で、AM編集部は海洋堂・宮脇センムよりワンダーフェスティバル (以下WF) への参加を打診されます。そして2000年２月のWFに「時代はミリタリー」というキャッチコピーを引っさげ初参戦、続いて夏のWFにも参加。海洋堂およびAM編集部は、広くホビーファンが集うイベントでの戦車模型への熱い視線を実感します。そんなタイミングを見計らうかのように宮脇センムは、同年９月のホビーショー会場で、小さく精密な戦車模型の原型をこっそり見せてくれました。これを食玩として2001年以降に大々的に売り出すという大計画が水面下で動いており、すでにモリナガさんはセンムの壮大な構想に巻き込まれていたかたちだったわけですね。(下図参照：小社刊『35分の１スケールの迷宮物語』109頁より)。

そしてモリナガさんはWTM商品化に際し解説イラストを担当。谷 明さんの精密原型との両輪でWTMシリーズは大ヒット。全国のコンビニ等での拡販により、マニア以外の戦車ファンの掘り起こしに成功します。ヒットの余波はその後、アニメーションなど他ジャンルでの戦車人気を活性化させたといってよいでしょう。

2002年から発売のWTMシリーズは手作業による原型作りでしたが､2010年代発売のKITシリーズではデジタル造形も導入されるなど技術の変化がありました。しかしモリナガさんの解説イラストはずっと変わらず紙にペンと水彩絵具という技法です。今回、改めて紙の本となった本書の誌面を通じ、モリナガさんの思考と筆致を感じていただけましたら幸いです。

そもそもの出会いは
あ、モリナガさん吉祥寺さんちょっと…
去年の秋の見本市でミヤワキ元師に呼びとめられたこと。
試作品のチェックの場だったらしい。
その時記念にもらった「没エレファント」
この世のモノではないディテールに息を飲んだ覚えがある。
ここまで
タグロープが
へ?
☆そのまま今日に至った。

目次 Contents

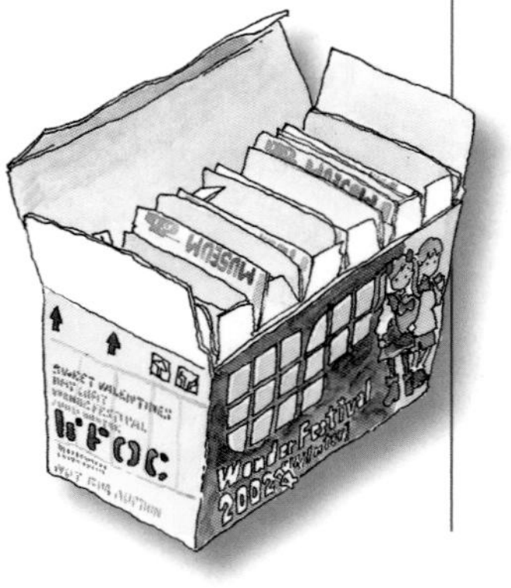

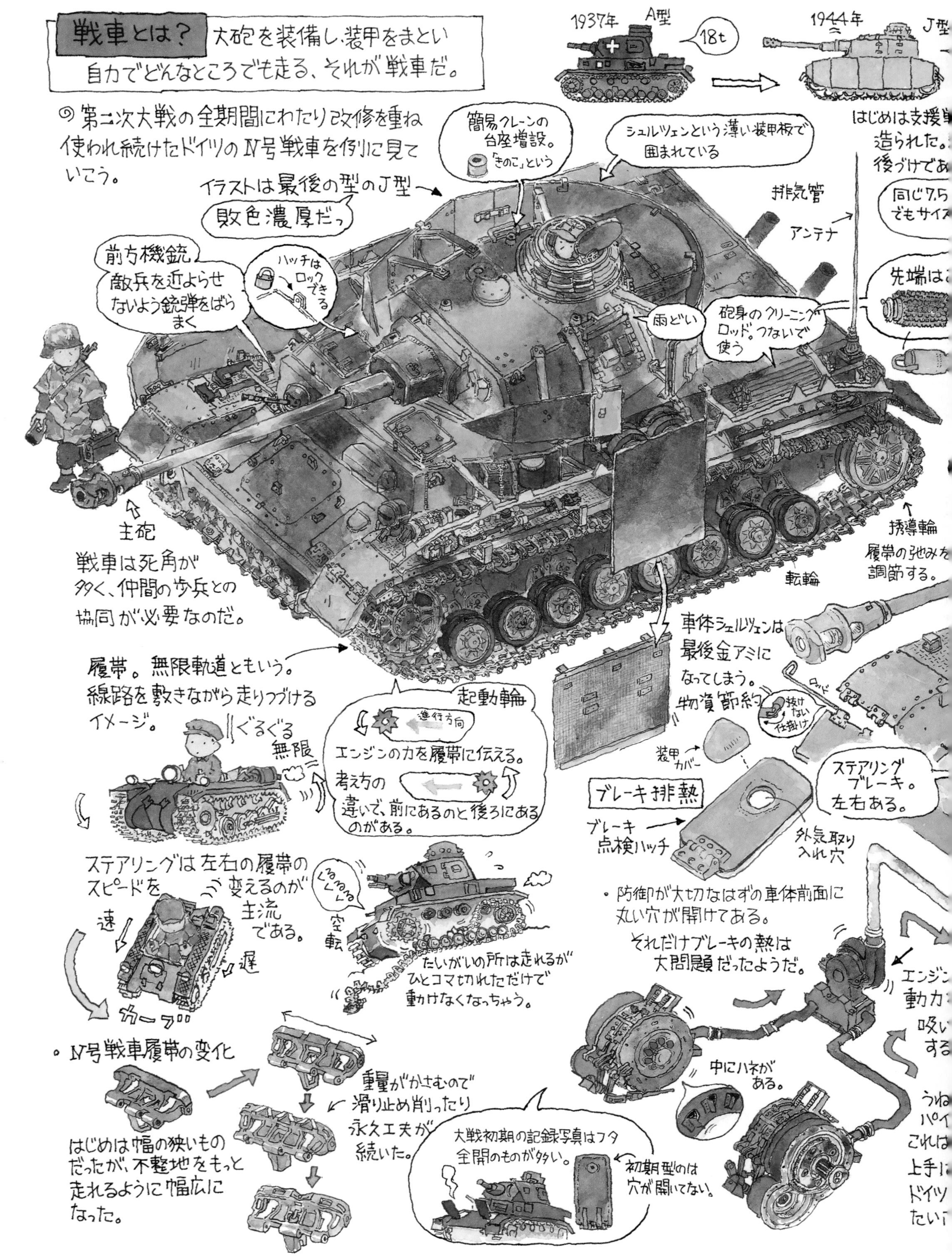

戦車とは？
大砲を装備し装甲をまとい
自力でどんなところでも走る、それが戦車だ。
1937年
A型
18t
1944年
J型
◎第二次大戦の全期間にわたり改修を重ね
使われ続けたドイツのⅣ号戦車を例に見ていこう。
簡易クレーンの
台座増設。
「きのこ」という
シュルツェンという薄い装甲板で
囲まれている
はじめは支援
造られた。
後づけであ
イラストは最後の型のJ型
敗色濃厚だっ
排気管
アンテナ
同じ7.5
でもサイズ
前方機銃
敵兵を近よらせ
ないよう銃弾をばら
まく
ハッチは
ロック
できる
先端は
雨どい
砲身のクリーニング
ロッド。つないで
使う
主砲
誘導輪
履帯の弛みを
調節する。
戦車は死角が
多く、仲間の歩兵との
協同が必要なのだ。
転輪
車体シュルツェンは
最後金アミに
なってしまう。
物資節約
抜け
ない
仕掛け
ロッド
履帯。無限軌道ともいう。
線路を敷きながら走りつづける
イメージ。
ぐるぐる
無限
起動輪
進行方向
エンジンの力を履帯に伝える。
考え方の
違いで、前にあるのと後ろにある
のがある。
装甲
カバー
ブレーキ排熱
ステアリング
ブレーキ。
左右ある。
ブレーキ
点検ハッチ
外気取り
入れ穴
ステアリングは左右の履帯の
スピードを変えるのが
主流
である。
速
遅
カーブ
くるくるくるくる
空転
たいがいの所は走れるが
ひとコマ切れただけで
動けなくなっちゃう。
・防御が大切なはずの車体前面に
丸い穴が開けてある。
それだけブレーキの熱は
大問題だったようだ。
エンジン
動力
吸い
する
・Ⅳ号戦車履帯の変化
はじめは幅の狭いもの
だったが、不整地をもっと
走れるように幅広に
なった。
重量がかさむので
滑り止め削ったり
永久工夫が
続いた。
中にハネが
ある。
大戦初期の記録写真はフタ
全開のものが多い。
初期型のは
穴が開いてない。
うね
パイ
これは
上手に
ドイツ
たい

『プラモデル』シリーズ

2006年、第９弾で一旦停止となったWTMだが、その六年後の2012年に再起動。既存アイテムのキット版が、昔懐かしい台紙物として発売された。300円で買えるAFVモデルとして貴重な商品であり、短命であったがこの翌年のKITシリーズ展開につながった。

各戦車の台紙の表面は実車解説とモリナガさんの情報カット（125頁参照）、裏面には組み立て説明図が掲載された。

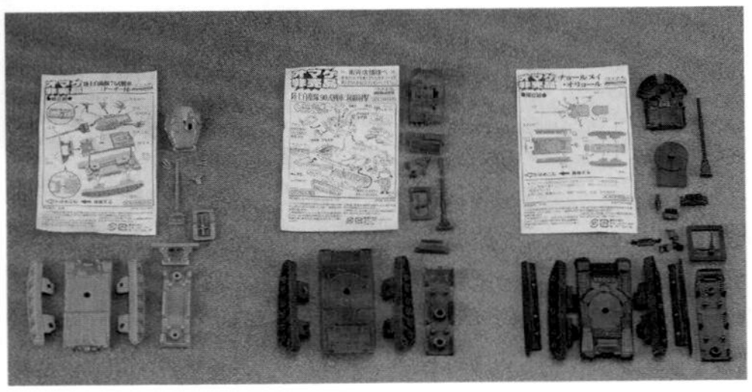

三種にはそれぞれおまけアイテムが付属した。Vol.1には74式戦車（ドーザー付）、Vol.2には90式戦車（稜線射撃）、Vol.3にはチョールヌイ・オリョール。

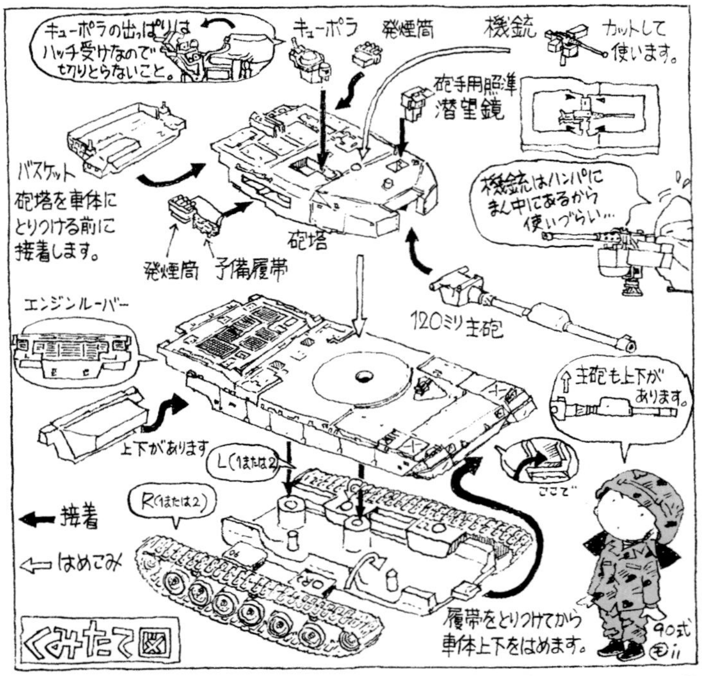

第１弾
【陸上自衛隊戦車 Vol.1】

1 90式戦車

2 60式自走無反動砲

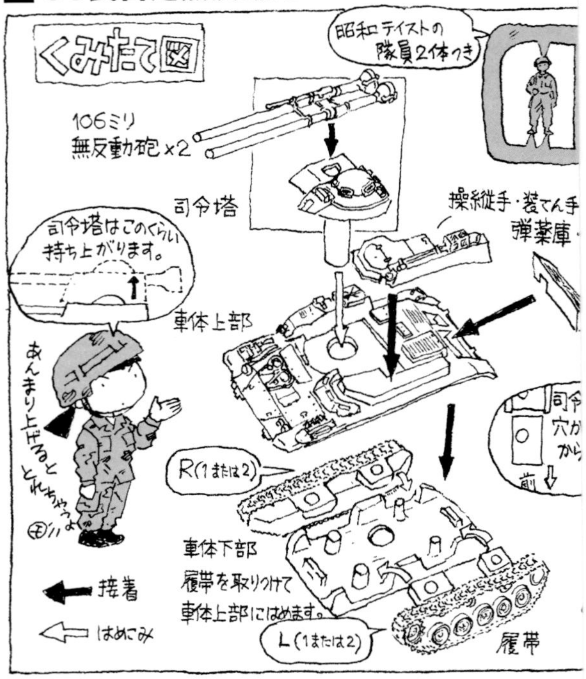

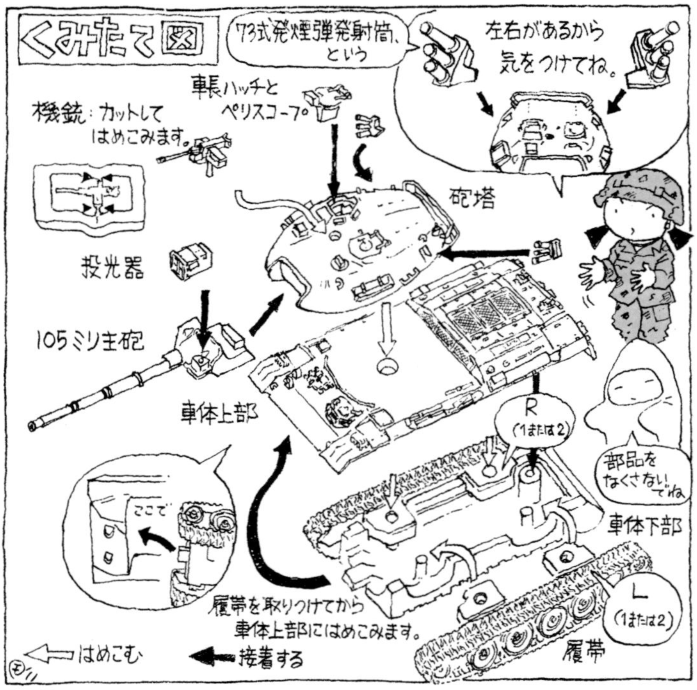

3 74式戦車

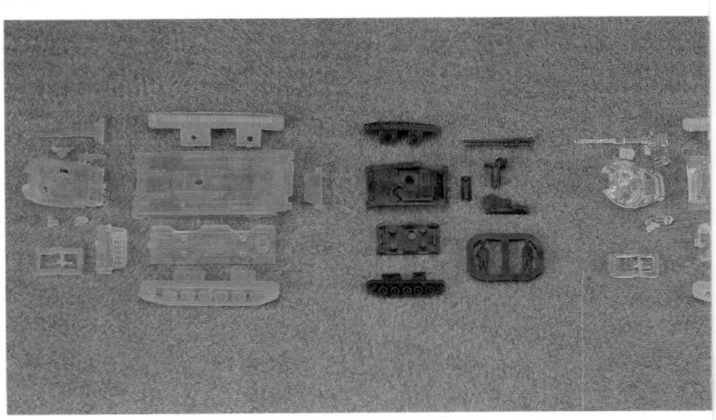

第１弾の成形色は銀色、透明、クリアグリーン、ダークグリーンの四色。モリナガ
立て図はWTMの部品分割の図解ともいえる貴重なもの。大台紙は吊り下げ以外にも
で立てることが可能だった。2012年３月15日発売。１個300円、１シート3,600円

■1　：Tiger I (Late Production) 3-Colors Scheme
■2　：Tiger I (Late Production) Winter camouflage
■3　：Tiger I (Late Production) Mono-color Scheme
■4　：M4A1/76 Sherman Winter camouflage
■5　：M4A1/76 Sherman Mono-color Scheme
■6　：M4A1/76 Sherman 2-colors Scheme
■7　：88mm Flak 36 Afrika front
■8　：88mm Flak 36 Eastern front
■9　：88mm Flak 36 Europe front
■10：Pz.Kpfw.IV Ausf.J Mono-color Scheme
■11：Pz.Kpfw.IV Ausf.J 3-Colors Scheme
■12：Pz.Kpfw.IV Ausf.J Winter camouflage
■13：T-34/85 Mono-color Scheme
■14：T-34/85 Winter camouflage
■15：T-34/85 Air identification marking
■16：Elefant Winter camouflage
■17：Elefant Mono-color Scheme
■18：Elefant 3-Colors Scheme
■SECRET ITEM：Michael Wittmann

PANZERTALES
WORLD TANK
ワールド タンク ミュージアム
MUSEUM
Series 01

ワールドタンク ミュージアム・シリーズ 01

2002年春、戦車王・ティーガーⅠ型を先頭にして戦車の極小ミニチュア軍団が大進撃を開始した。戦車模型は模型店でという常識を覆し、コンビニやスーパーが主戦場となった。

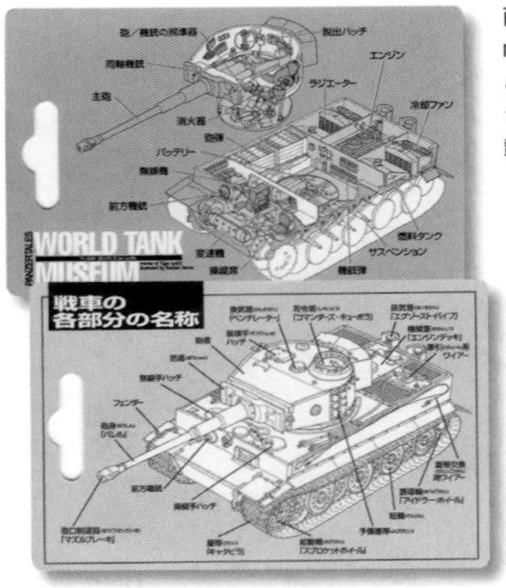

商品形態は紙パッケージ（縦130㎜×横90㎜×高35㎜）に台紙付きブリスター、解説書とガムを封入。台紙サイズは80㎜×120㎜。シリーズ01は両面にティーガーの図解を掲載（作図：浪江俊明）。

■ 1：ティーガーⅠ後期型重戦車・３色迷彩（ドイツ・1944年-45年）
■ 2：ティーガーⅠ後期型重戦車・冬季迷彩（ドイツ・1944年-45年）
■ 3：ティーガーⅠ後期型重戦車・単色迷彩（ドイツ・1944年-45年）
■ 4：M4A1/76シャーマン・冬季迷彩（アメリカ・1944年-45年）
■ 5：M4A1/76シャーマン・単色迷彩（アメリカ・1944年-45年）
■ 6：M4A1/76シャーマン・２色迷彩（アメリカ・1944年-45年）
■ 7：88ミリ高射砲36型・アフリカ戦線（ドイツ・1939年-45年）
■ 8：88ミリ高射砲36型・東部戦線（ドイツ・1939年-45年）
■ 9：88ミリ高射砲36型・欧州戦線（ドイツ・1939年-45年）
■10：Ⅳ号Ｊ型中戦車・単色迷彩（ドイツ・1944年-45年）
■11：Ⅳ号Ｊ型中戦車・３色迷彩（ドイツ・1944年-45年）
■12：Ⅳ号Ｊ型中戦車・冬季迷彩（ドイツ・1944年-45年）
■13：T34/85中戦車・単色迷彩（ロシア・1944年-45）
■14：T34/85中戦車・冬季迷彩（ロシア・1944年-45）
■15：T34/85中戦車・対空識別（ロシア・1944年-45）
■16：エレファント重駆逐戦車・冬季迷彩（ドイツ・1944年-45年）
■17：エレファント重駆逐戦車・単色迷彩（ドイツ・1944年-45年）
■18：エレファント重駆逐戦車・３色迷彩（ドイツ・1944年-45年）
■シークレットアイテム：ミヒャエル・ヴィットマン

■2002年５月発売（総生産数250万個）
■造形企画制作／株式会社海洋堂
■原型制作／谷 明
■発売者／株式会社タカラ
■販売者／株式会社ドリームズ・カム・トゥルー
■BOXアート／大西将美
■準チョコレート入り、250円
■記念すべき第１弾は、海洋堂・宮脇センムの趣味を反映しつつシルエットが特徴的な車種が選ばれた。シークレットアイテムの007号車にはキューポラにヴィットマンのフィギュアが乗る。パッケージと解説書制作は月刊『モデルグラフィックス』（小社刊）の編集プロダクション、アートボックスが担当。ロゴタイプのデザインは同誌デザイナー横川 隆氏による。

【編註】本書で用いている各戦車の名称は、WTMの商品名称（各シリーズ冒頭頁の番号順の名称）とは異なる場合があります。ご了承ください。

Tiger I（Late Production）

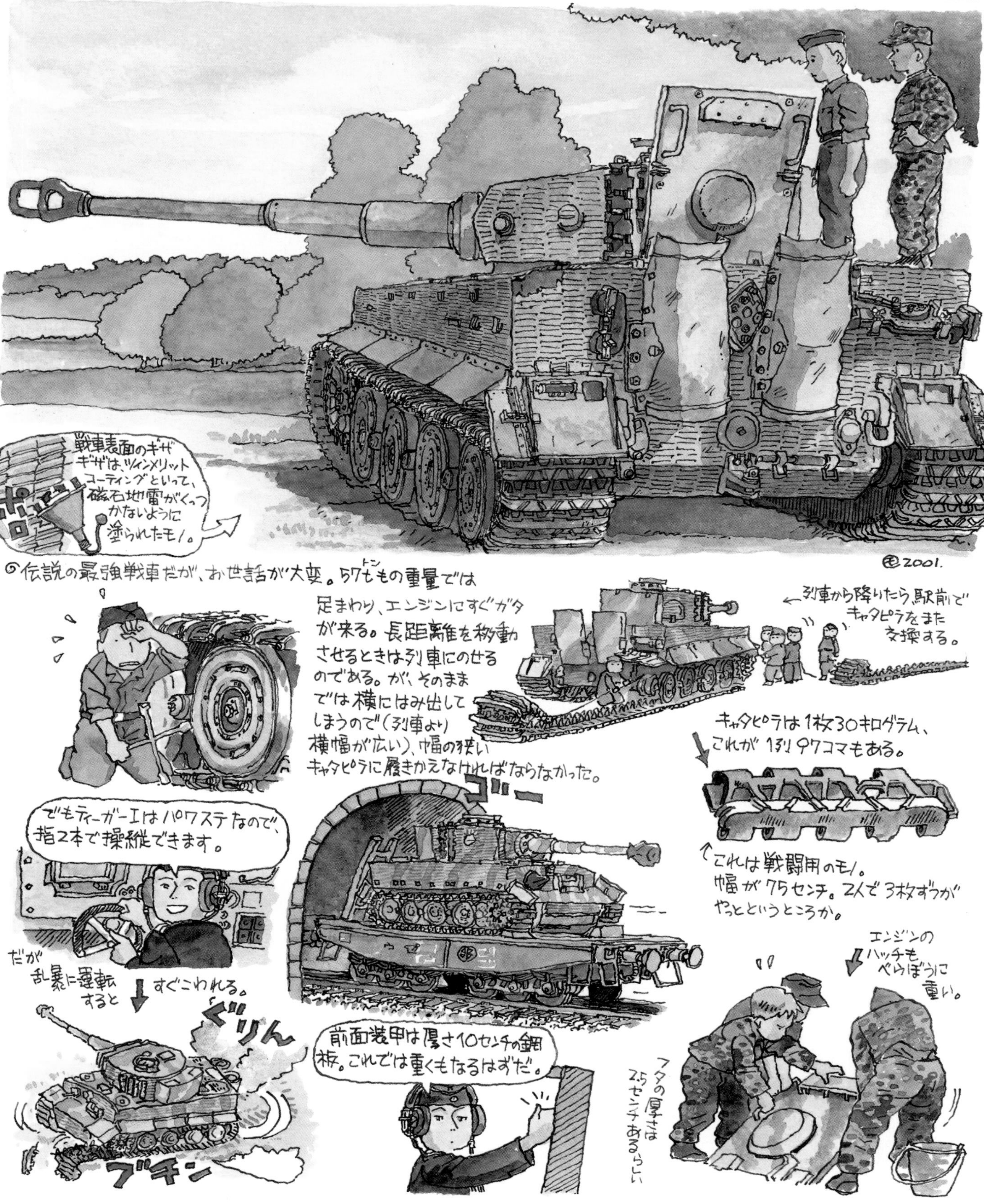

戦車表面のギザギザは、ツィンメリットコーティングといって、磁石地雷がくっつかないように塗られたモノ。
ポロ
㊞2001.
伝説の最強戦車だが、お世話が大変。57《トン》もの重量では足まわり、エンジンにすぐガタが来る。長距離を移動させるときは列車にのせるのである。が、そのままでは横にはみ出してしまうので（列車より横幅が広い）、巾幅の狭いキャタピラに履きかえなければならなかった。
←列車から降りたら駅前でキャタピラをまた交換する。
キャタピラは1枚30キログラム、これが1列97コマもある。
これは戦闘用のモノ。幅が75センチ。2人で3枚ずつがやっとというところか。
ゴー
でもティーガーⅠはパワステなので、指2本で操縦できます。
だが乱暴に運転するとすぐこわれる。
ぐりん
ブチン
前面装甲は厚さ10センチの鋼板。これでは重くもなるはずだ。
フタの厚さは2.5センチあるらしい
エンジンのハッチもべらぼうに重い。

Tiger I（Late Production）　ティーガーⅠ型重戦車 後期型（ドイツ・1944-45年）

■第二次世界大戦時、ドイツ軍が最初に制式化した重戦車がティーガーです。戦場にその姿を現した1942年以降、強力な主砲と重装甲による活躍は終戦までに伝説へと昇華していきました。そして戦後から現在に至るまで武勇伝は繰り返し語り継がれ、その人気ぶりは戦車界のトップスターと言っても過言ではありません。WTMでも記念すべき製品化第一号はこの車両です。

【SPECIFICATION】

重量：57 t	装甲厚：25 ～ 100㎜	速度：38km/h
全長：8,450㎜		乗員：５名
全幅：3,780㎜	兵装：8.8㎝砲×１門	生産台数：1,354両
全高：2,930㎜	機関銃×２挺	（初期型～後期型）

★シャーマン戦車の本来の役割は
歩兵の支援だ。敵の陣地を
ふきとばす。
いろいろな型があるが、
これは戦車と闘えるように
強力な砲を積んだタイプ。
ちなみに
戦車兵の
ヘルメットは
皮と紙で
できている‥‥
けれども敵戦車に
砲弾があたって、それ
がはじきとばされるのを
見るとヤル気を
なくす‥‥
とにかくよく燃えた
らしい。砲弾を水槽に
入れたりして、なんとか
しようとした。
だからドイツの主力戦車
とやりあうときは必ず
おとりを使うように
指示がだされ
た。
車体のウラに脱出ハッチが
あるが、よく歩兵に盗まれた。
弾よけに
重宝するんだ
そうである。
これもひどい
話だよなあ
予備はいくらでもある
から、らしい？

M4A1(76)W Sherman

M4A1(76)W シャーマン中戦車（アメリカ・1944-45年）

■自動車王国であるアメリカ、じつは第二次世界大戦が始まるまで強力な戦車は持っていませんでした。しかし欧州とアジアへの派兵に備え急ピッチで主力戦車の開発を開始。航空機用星形エンジンを積むという荒技で、75㎜砲搭載のM4（溶接車体）と、鋳造車体のM4A1が同時に誕生。1942年に北アフリカで前述のティーガーに痛い目に遭わされ76㎜砲に換装されたのです。

【SPECIFICATION】

重量：30.1 t	装甲厚：19 ～ 89㎜	速度：42㎞/h
全長：7,540㎜		乗員：５名
全幅：2,990㎜	兵装：76㎜砲×１門	生産台数：3,426両
全高：2,970㎜	機関銃×２挺	

。88ミリ砲はもともと高射砲(敵の飛行機を撃ち落とす砲)として作られた。地上の標的を攻撃するのも具合がいいので、対戦車砲としても使われる。
※ドイツでは8.8センチ砲と呼ぶ。
1941年のアフリカでの戦いで、イギリス戦車をずいぶん破壊している。
イギリスのマチルダ戦車。88ミリ以外歯が立たなかった。
高射砲で戦車を撃つなんて卑怯ですな。
高射砲でしか撃ち抜けない戦車で攻めてくるのはもっと卑怯だ
強力な敵戦車には普通の対戦車砲は全く歯が立たず、88ミリ砲の水平射撃でやっと止めたという。
50mm.
37mm
88mm
88ミリ砲の発射音は独特で、兵士達はその音を聞くと「8・8(アハト・アハト)だ」と沸きかえったそうだ。
要するに後方の砲兵陣地まで敵が入ってきちゃった訳なんだが。
の大砲なので自力では動けない。牽引車で引っぱるが、時には人力で。大変なのだった。

8.8cm Flak36

8.8cm対空砲36型（ドイツ・1936-45年）

■よく「はちじゅうはちみりほう」と呼ばれるドイツ軍の有名な大砲ですが、制式な呼称は「8.8cm Flak 36」となります。ドイツ軍では火砲の口径（弾丸の直径）はセンチメートルで表記しました。また「Flak」（フラック）とはドイツ語の対空砲＝Flugabwehrkanoneの略語ですが、「Flak」という単語は高射砲の意味として英語の辞書にも載っている軍事用語なのです。

【SPECIFICATION】

口径：8,8cm
重量：7.4 t
砲身長：4,930mm
全高：2.10m
装甲貫通力：87mm（射距離1000m、30°傾斜、対戦車徹甲弾使用）
最大射程：11,900m
有効射程：14,810m
発射速度：15-20発／分

Pz.Kpfw. IV Ausf. J

②IV号戦車は、戦争の全ての期間にわたり活躍させられた戦車である。小改修がくりかえされ、はじめとまるで違う形になった。
実質的主力戦車だが、大戦後半は あきらかに力不足となってしまう。
キットのJ型はその最終型
手動になっちゃった
わーっ!!
火力や装甲は強化されたがいろんなモノがなくなっている。
おそ〜〜い!!
たとえば砲塔回転用の補助エンジン。
燃料タンク
前は1回転26秒ほどであった。これでも英国戦車の半分のスピードだ。
砲塔回転用の補助ハンドルを使い2人がかりで回してもたかが知れている‥
ちなみにドイツ戦車は脱出口が多い。
車体ウラにも。
IV号戦車は乗員の数より多かった。それっていいことなのかな…
しまいにはもっと簡易型になってしまう。
・のぞき窓廃止
ハッチも簡単に。
マフラー廃止（これはただの筒）
・ブレーキ通気口廃止
防弾板カナアミに。
・フック簡略化

Pz.Kpfw. IV Ausf. J

IV号戦車 J 型（ドイツ・1944-45年）

■IV号戦車のことを「軍馬」と呼んだのは昭和の軍事雑誌だったでしょうか。ドイツ軍機甲部隊のI号～III号戦車の支援用として開発されたIV号戦車でしたが、進化を遂げたパンター、ティーガーなどの登場後も主力として延命。そして、A型から始まったIV号戦車の苦難の末の姿がJ型でした。第二次世界大戦の終わりまで働き続けた、まさに鉄の軍馬と言えるでしょう。

【SPECIFICATION】

重量：25 t	装甲厚：10 ～ 80㎜	速度：38 ～ 42㎞/h
全長：7,020㎜		乗員：５名
全幅：2,880㎜	兵装：7.5㎝砲×１門	生産台数：1,758両
全高：2,680㎜	機関銃×２挺	

○T34/85は、前身のT34/76の改良型である。
より強力な砲を積み、4人だった乗員を5人に増やし戦闘力を高めた。
← 2人乗り砲塔
← 3人乗り砲塔
空席
○大増産で数はそろえたが、戦車兵が足りなくなり4人、時には3人しか乗っていないこともあったらしい。
工場の女性工員も、操縦手として そのまま戦場に行かされたそうです
操縦はけっこう力仕事。ちょっとしたコツがいります。
うるさいし揺れるしでかなり疲れます
○工場でヤッツケ仕事で作られたため、せっかくの名戦車も本来の性能が発揮できないモノも多かった。
戦車のまわりについているのは取手。たくさんの歩兵を乗せる。車外はいっぱいなのであった。
車内は人数足りないのに…
白線は自軍の飛行機に味方だと知らせるサイン。ドイツ軍もまねをした。
01-02

T-34/85

T-34/85中戦車（ソビエト連邦・1944-45年）

■ソ連軍の傑作戦車、T-34/76（76㎜砲搭載型／ 31頁参照）の主砲を85㎜に増強し、第二次大戦中期からドイツ軍のパンターやティーガーと互角かそれ以上の戦いぶりを示したのがこのT-34/85です。戦後の戦争映画にも数多く登場、スムーズに走り回っていました。砲塔に吊りかごがなく、操向装置が車体後部にあるので車内が広く、映画撮影にもってこいの戦車でもあったのです。

【SPECIFICATION】

重量：32 t
全長：8,100㎜
全幅：2,987㎜
全高：2,377㎜
装甲厚：18 ～ 75㎜
兵装：85㎜砲×１門
機関銃×２挺
速度：49.8㎞/h
乗員：5名

◎無敵の巨砲と、ぶ厚い装甲板をもつ重駆逐戦車
（戦車を破壊する戦車）、それがエレファントである。
前面装甲
200ミリ….
20センチですよ!!
車体はたいへんに大きいが、
大砲も大きく
車内は意外
と狭い。
戦闘がおわると
すすだらけになる。
乗員の普段の仕事は
足まわりの修理ばかり
だったらしい
当然のことながら、べらぼうに重く
（65t）、橋は落とすわ 泥に
めりこむわ 大変であった。
道なき道を進むのが戦車のイメージ
であるが、エレファントは違っていた。
進撃するにあたり、先に誰かが
「走れる地面かどうか」見てくる必要が
あったのである。

Elefant

エレファント重駆逐戦車（ドイツ・1944-45年）

■ドイツの自動車設計技師、フェルディナンド・ポルシェ博士が設計したエンジン発電／モーター駆動のハイブリッド戦車・ティーガーP型（52頁参照）を駆逐戦車に改造したもので、そのシルエットと大重量からエレファントという名前がぴったりな車両です。重い戦車といえばエンジンの大轟音と盛大な排気煙がつきものですが、エレファントが走る時はどんな音がしたのでしょうか。

【SPECIFICATION】

重量：65 t
全長：8,140㎜
全幅：3,380㎜
全高：2,970㎜
装甲厚：25～200㎜
兵装：8.8㎝砲×1門
　　　機関銃×1挺
速度：30㎞/h
乗員：6名
生産台数：90両

ヴィットマンの007号車 シークレットアイテム
138
えと文／モリナガ・ヨウ
シークレットアイテムを当てておめでとう！
さて、ヴィットマンは日本で（世界で？）最も有名なティーガー戦車エースである。昔の模型の組立説明書に細かくその活躍ぶりが書かれていて、一定世代以上の人々には特別な思い入れのある存在である。
やっつけた戦車は138台。敵の大砲なんかも入れるともっとすごい数に。
戦時中も有名で、勲章もいっぱいもらった。戦意昂揚の意味もあったのかもしれない。スターは必要なのである。
宣伝写真にあるハデなマーキング。
1944年のビレール・ボカージュの闘い。彼はここで敵の大部隊を、自分の戦車だけで粉砕した。細かいエピソードはいろいろあるんだが、だいたいこんな感じである。
ふん、もう勝ったと思っているな
そうらしい。では教育してやるか
やられメカとして歴史に残ってしまったイギリスのクロムウェル
偉いのは大砲の狙いをつけた砲手じゃないか？という話もあるが、乗員をまとめて戦車を生きもののように動かすためには戦長の責任は重大なのだった。
←キットと番号が違うのは、戦車が故障すると兵士達は動ける別のに乗りかえるから。これは彼が最後に乗っていた戦車だ。
車内の通話装置は の乗員のつばをのみこむ音までひろってしまう。→体感はかなりのモノだったのではないか？
最近の研究では、ヴィットマンは待ちぶせしていた「ファイヤフライ」にやられてしまったらしい。1944年8月のことであった。
1輌だったそうだ。

Michael Wittmann

ミヒャエル・ヴィットマン（ドイツ・1914-1944年）

■「では教育してやるか」は日本では有名なセリフですが、翻訳の筆が走ったもののようです。ノルマンディー上陸作戦などを描写したパウル・カレル本は今では史書としては扱われておらず、本国ドイツでは絶版になっています。（ヴィットマンの経歴は58頁参照）

【SPECIFICATION】

重量：57 t	装甲厚：25～100㎜	速度：38㎞/h
全長：8,450㎜		乗員：5名
全幅：3,780㎜	兵装：8.8㎝砲×1門	生産台数：1,354両
全高：2,930㎜	機関銃×2挺	（初期型～後期型）

☆エース戦車長オットー・カリウスの戦記でも、8.8センチ砲について触れられている。T34の登場で「私たちから時折お愛想笑いを受けていただけの高射砲部隊は、こうして最高の敬意が払われるようになった」
おおーー

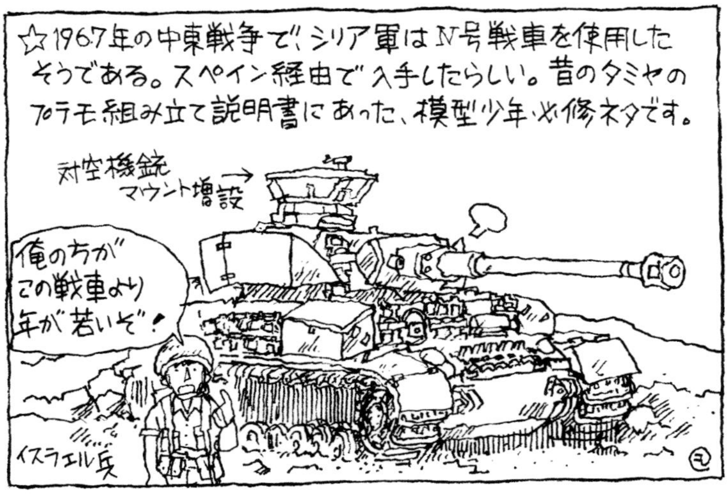
☆1967年の中東戦争で、シリア軍はⅣ号戦車を使用したそうである。スペイン経由で入手したらしい。昔のタミヤのプラモ組み立て説明書にあった、模型少年必修ネタです。
対空機銃マウント増設
俺の方がこの戦車より年が若いぞ!
イスラエル兵

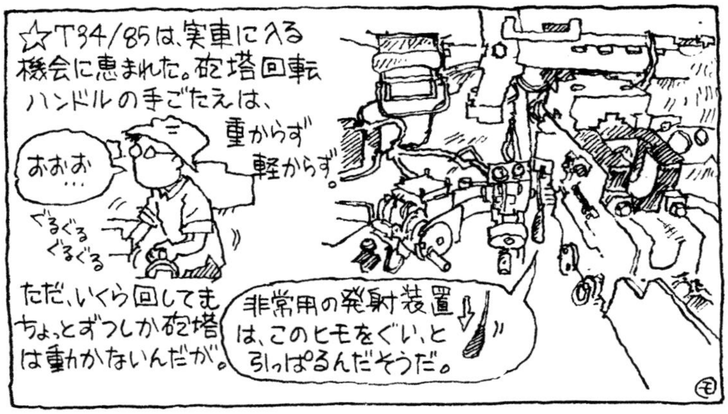
☆T34/85は、実車に入る機会に恵まれた。砲塔回転ハンドルの手ごたえは、
おおお…
重からず軽からず。
ぐるぐるぐるぐる
ただ、いくら回してもちょっとずつしか砲塔は動かないんだが。
非常用の発射装置は、このヒモをぐい、と引っぱるんだそうだ。

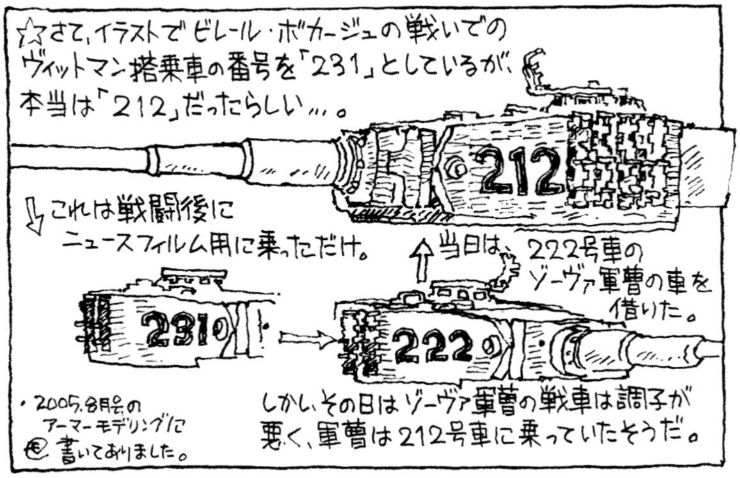
☆さて、イラストでビレール・ボカージュの戦いでのヴィットマン搭乗車の番号を「231」としているが、本当は「212」だったらしい…。
212
これは戦闘後にニュースフィルム用に乗っただけ。
当日は、222号車のゾーヴァ軍曹の車を借りた。
231
222
・2005.8月号のアーマーモデリングにⓂ書いてありました。
しかし、その日はゾーヴァ軍曹の戦車は調子が悪く、軍曹は212号車に乗っていたそうだ。

■19：KV-1A Mono-color Scheme
■20：KV-1A Winter camouflage
■21：KV-1A Slogan
■22：Jagdpanther Mono-color Scheme
■23：Jagdpanther Winter camouflage
■24：Jagdpanther 3-Colors Scheme
■25：Stu.G. III Ausf.G (Late Production) Winter camouflage
■26：Stu.G. III Ausf.G (Late Production) 3-Colors Scheme
■27：Stu.G. III Ausf.G (Late Production) Mono-color Scheme
■28：JS-2m Stalin Mono-color Scheme
■29：JS-2m Stalin Winter camouflage
■30：JS-2m Stalin Air identification marking
■31：Hetzer Winter camouflage
■32：Hetzer Mono-color Scheme
■33：Hetzer 3-Colors Scheme
■34：Tiger II (Henschel Turret) Mono-color Scheme
■35：Tiger II (Henschel Turret) Winter camouflage
■36：Tiger II (Henschel Turret) 3-Colors Scheme
■SECRET ITEM：Red Tiger

PANZERTALES
WORLD TANK
ワールド タンク ミュージアム
MUSEUM
Series 02

ワールドタンクミュージアム・シリーズ 02

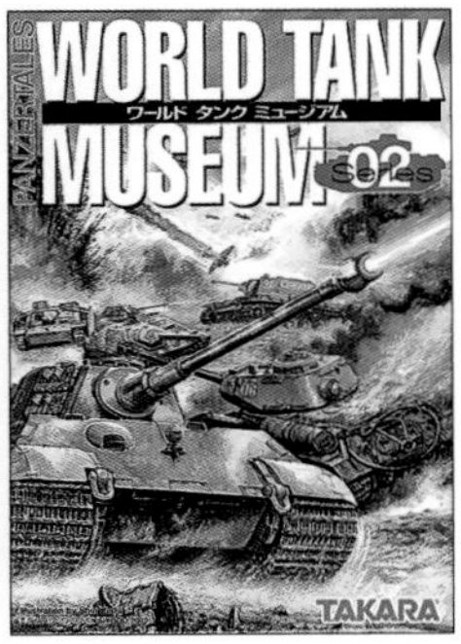

大きな反響を得たシリーズ01に続き、わずか三ヶ月後に第二波攻撃が敢行された。王虎・ティーガーIIが早くも登場、駆逐戦車などを従えたドイツ軍とソ連軍戦車との対決ムードが濃厚な第2弾。

台紙表面にはフランス・ソミュール戦車博物館に展示中のティーガーII型の堂々たる姿を掲載。裏面は小林源文氏による装甲板接合の図解を収録。

■19：KV-1A重戦車・単色迷彩（ロシア・1940-41年）
■20：KV-1A重戦車・冬季迷彩（ロシア・1940-41年）
■21：KV-1A重戦車・スローガン（ロシア・1940-41年）
■22：ヤクトパンター重駆逐戦車・単色迷彩（ドイツ・1944-45年）
■23：ヤクトパンター重駆逐戦車・冬季迷彩（ドイツ・1944-45年）
■24：ヤクトパンター重駆逐戦車・３色迷彩（ドイツ・1944-45年）
■25：III号突撃砲G後期型・冬季迷彩（ドイツ・1944-45年）
■26：III号突撃砲G後期型・３色迷彩（ドイツ・1944-45年）
■27：III号突撃砲G後期型・単色迷彩（ドイツ・1944-45年）
■28：JS-2mスターリン重戦車・単色迷彩（ロシア・1944-45年）
■29：JS-2mスターリン重戦車・冬季迷彩（ロシア・1944-45年）
■30：JS-2mスターリン重戦車・対空識別（ロシア・1944-45年）
■31：ヘッツァー軽駆逐戦車・冬季迷彩（ドイツ・1944-45年）
■32：ヘッツァー軽駆逐戦車・単色迷彩（ドイツ・1944-45年）
■33：ヘッツァー軽駆逐戦車・3色迷彩（ドイツ・1944-45年）
■34：ティーガーIIヘンシェル型重戦車・単色迷彩（ドイツ・1944-45年）
■35：ティーガーIIヘンシェル型重戦車・冬季迷彩（ドイツ・1944-45年）
■36：ティーガーIIヘンシェル型重戦車・３色迷彩（ドイツ・1944-45年）
■シークレットアイテム：赤ティーガー

■2002年８月発売（総生産数200万個）
■造形企画制作／株式会社海洋堂
■原型制作／谷 明
■発売者／株式会社タカラ
■販売者／株式会社ドリームズ・カム・トゥルー
■BOXアート／上田 信
■迷彩色ラムネ入り、250円
■第１弾の成功で長期的な展開にする方針がかたまり、戦車以外の車種も多数商品化された。谷氏の造形指向がソ連戦車に向いていることがわかり、２車種が選ばれている。

。1941年ソ連に攻めこんだドイツ軍はとんでもない重戦車に出くわすことになる。
ドイツ軍の対戦車砲をことごとくはね返しふみつぶした無敵戦車KVI。
大砲の威力や装甲はドイツ戦車を完全に上まわっていた。だが…。
クラッチレバーはハンマーで動かす
?
防弾ガラスに気泡が
運転が大変だった。操向レバーを動かすのも大変な力仕事な上に外がよく見えない。
ミッションやクラッチがすぐ壊れた。
車長は装填手を兼ね忙しい。外の様子はよくわからない。砲塔の後部には補助操縦手―操縦手が疲れた時の交替要員―がいてすごくじゃま。
……
40tを越える重量に対して、あまりに非力なエンジン。
部隊によっては弾薬の支給もなかった。
ちゃんと曲がれず、前もよく見えず砲弾もなければ、とにかく進むしかなかったではないか。
損失の実に8割が故障など戦闘以外の理由による。
乗せられるほうはたまったもんじゃないよなぁ…
ハッチから車長が外を見るには、彼の頭に乗らないといけない。
KV1は重くて橋を壊したりして部隊の進行を妨げた。しかしソ連軍はもっとすごいのも実戦投入している。どんなことになったんだろうか？
SMK
T100
KV1はあとでもっと装甲を強化して訳のわからんことになっている
'02

KV-1A

KV-1A重戦車（ソビエト連邦・1940-41年）

■1930年代、ソ連は陸上戦艦のような多砲塔戦車の王国でもありました。1937年、T-35の後継車両として、SMKとT-100、そしてなぜか単砲塔のKV-1が同時に試作、試験を受けました。しかしスターリンをはじめとして軍の中央では「多砲塔は時代遅れなのでは？」といった空気になっていたようです。変な話ですがKV-1は多砲塔一族の末弟と言えるのかもしれません。

【SPECIFICATION】

重量：46.35 t	装甲厚：30～77㎜	速度：35.3km/h
全長：6,888㎜		乗員：5名
全幅：3,246㎜	兵装：76.2㎜砲×1門	生産台数：?
全高：2,667㎜	機関銃×3挺	

◎第2次大戦の後半に登場したヤークトパンターは、パンター戦車を改造して巨大な8.8cm砲を積んだ重駆逐戦車である。

©2002-

敵が右にまわったぞ〜

3000メートルの距離で敵を破壊できる!?

「攻・守・走」三拍子揃った最良の陸戦兵器と呼ばれている。

← 戦後大量にイギリス軍が持ち帰り、あれこれ調べまわしたらしい。

砲塔がないので何をするにも車体ごと回らねばならず、ミッションやクラッチがすぐ壊れた。

爆撃をうけた作りかけの山 →（こういう写真がある）

・実際のところ、あまり数が作れず、そんなに活躍はできなかったようだ。

待ってても ちっとも前線に こないんです…

	予定数	実数
654大隊	45	25
559大隊	14	5
519大隊	14	9
	14	0

★まめちしき

40前後のオヤジの中に（いまだに）ヤークトパンターを、「ロンメル」と言う人がいます。昔、タミヤ模型が、そういう商品名で売ったからです。

↗ロンメル将軍という有名な将軍の名前にあやかった。

あんまり関係ないよ。

Jagdpanther

ヤークトパンター重駆逐戦車（ドイツ・1944-45年）

■8.8cm対空砲は当時の連合軍戦車をほぼすべて撃破可能でした。そしてドイツ軍はこの砲を直接、または戦車砲に改造してさまざまな戦車車台に搭載、強力な対戦車兵器を生み出しました。ヤークトパンターはそのなかでも優秀な一両。ちなみにドイツの作家、ギュンター・グラスが武装SSの少年兵だった頃、ティーガーII型が部隊に来るはずがヤークトパンターが来てがっかりしたとか。

【SPECIFICATION】

重量：45.5 t
全長：9,870mm
全幅：3,420mm
全高：2,715mm
装甲厚：16 〜 80mm
兵装：8.8cm砲×1門
　　　機関銃×1挺
速度：46km/h
乗員：5名
生産台数：415両

★突撃砲って何だろう？　第1次大戦の時、歩兵では
どうしようもない敵陣地を沈黙させるため大砲を引っぱって行った。
損害多し
この考えを自走化して、装甲化したモノである。
ワイマール時代
従って、これは戦車ではない。
歩兵の支援が本来の任務である「砲」なのであった。
（途中から対戦車任務が増え、どんどん強化されたが）
戦車のかわり
だから仕事が済んだら後ろに帰っていくのがキマリだった。
突撃砲が来た〜!
ワー
ゴロゴロ
ゴロゴロ
ゴロゴロ…
え？
戻っちゃうの
の乗っているのも
戦車兵ではなく
砲兵なのである。
ものすごい数の敵戦車を撃破してる。
勲章もいっぱいもらった。
それって、敵が多すぎるということでは…？
・ちなみに突撃砲には、防御用に専用の随伴兵をつけるように命ぜられていた。
上に、乗っていろと!?
マニュアルには
行軍の際は砲に跨乗せよ、
とある。
用が済んだら突撃砲と一緒に帰る
後半は防御力を高めるためコンクリを盛ったりした。

Stu.G. III Ausf.G

III号突撃砲G型 後期型（ドイツ・1944-45年）

■ドイツ軍の兵器体系はちょっと変わったところがあり、このどう見ても駆逐戦車的な車両を「突撃砲＝Sturmgeschütz」と分類しました。大戦初期に登場した短砲身型（A〜E型）はトーチカ撃破や歩兵支援用の移動砲台でしたが、大戦後期には戦車キラーへと役割が変化（でも兵科は砲兵のまま）。これとは別に「突撃戦車」（ブルムベアなど）があったりしてじつにややこしいのです。

【SPECIFICATION】

重量：23.9 t	装甲厚：11 〜 80㎜	速度：40㎞/h
全長：6,770㎜		乗員：４名
全幅：2,950㎜	兵装：7.5㎝砲×１門	生産台数：7,802両
全高：2,160㎜	機関銃×１挺	

第2次大戦の後半に登場したJS-2
スターリン戦車は、指導者スターリンの名を冠した「究極の重戦車」である。無敵であることが義務づけられているというか……。
ちなみにロシアつづりだとИС-2と書く。
スターリン(1879〜1953)
122mm砲弾は弾頭だけで25kgもあった。装填手の苦労は並たいていではなかっただろう。
。巨大な122mm砲を積むため、砲塔が車体からはみ出している。
ひ〜〜〜
車に6kgの火薬を詰める。
前ちの のぞき窓は集中的に狙われた。ここがダメになると……
超重戦車と呼ばれているが、同時期のドイツ重戦車より、ひとまわり小さい。車内スペースが犠牲にされ、砲弾は28発しか積んでいない。
(ティーガー1型は92発)
燃料タンク
上のペリスコープを使うんだが、左右離れていて すんごく不便…
ひとり分の幅しかない。
大砲が大きすぎて前につんのめるので、普段は砲塔を後ろ向きにして走っている。
発射速度が遅く、ドイツ戦車が3発撃つ間1発しか撃てない。
下に脱出ハッチがあるのだが、車体が重さで沈み、出られないこともあった。
ああー
それでも命中するとすさまじい破壊力だった。装甲も厚かったし。
2003-

JS-2m Stalin

JS-2mスターリン重戦車（ソビエト連邦・1944-45年）

■17頁のKV-1の「KV」はソ連の国防相クリメント・ヴォロシーロフの頭文字ですが、JS-2の「JS」はヨシフ・スターリン（英語表記：Joseph Stalin）の頭文字なのです。ちなみに上イラストにある砲塔の白帯は、1945年春にベルリンへ突入した車両に施された味方識別用のもので、砲塔上面には対空識別用の白十字も記されていました。

【SPECIFICATION】

重量：46 t	装甲厚：19 〜 160㎜	速度：40㎞/h
全長：9,910㎜		乗員：４名
全幅：3,070㎜	兵装：122㎜砲×１門	生産台数：2,250両
全高：2,730㎜	機関銃×３挺	

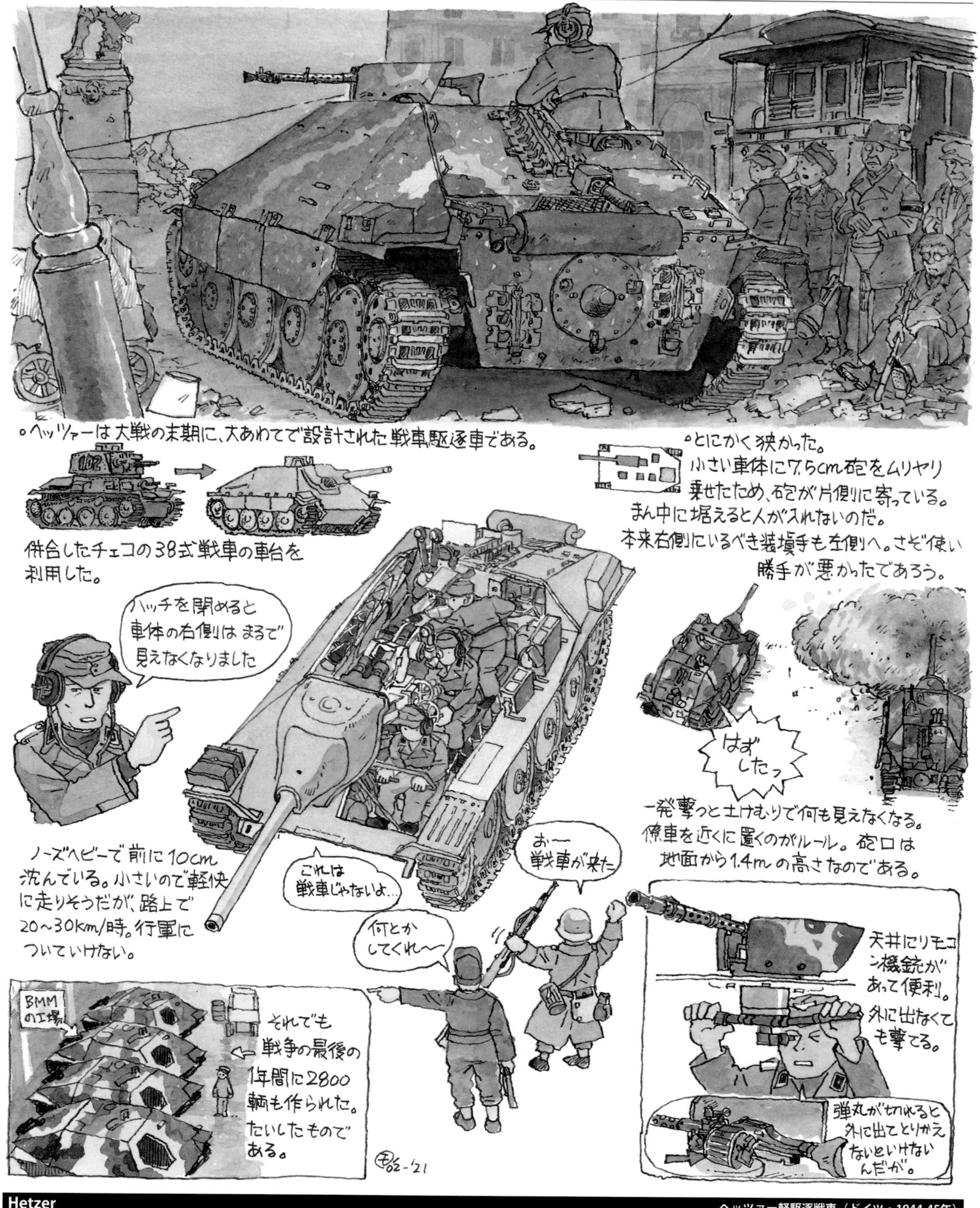

。ヘッツァーは大戦の末期に、大あわてで設計された戦車駆逐車である。
併合したチェコの38式戦車の車台を利用した。
。とにかく狭かった。
小さい車体に7.5cm砲をムリヤリ乗せたため、砲が片側に寄っている。
まん中に据えると人が入れないのだ。
本来右側にいるべき装填手も左側へ。さぞ使い勝手が悪かったであろう。
ハッチを閉めると車体の右側はまるで見えなくなりました
はずしたっ
一発撃つと土けむりで何も見えなくなる。僚車を近くに置くのがルール。砲口は地面から1.4mの高さなのである。
ノーズヘビーで前に10cm沈んでいる。小さいので軽快に走りそうだが、路上で20~30km/時。行軍についていけない。
これは戦車じゃないよ…
おー戦車が来た
何とかしてくれ~
天井にリモコン機銃があって便利。
外に出なくても撃てる。
弾丸が切れると外に出てとりかえないといけないんだが。
BMMの工場
それでも戦争の最後の1年間に2800輌も作られた。たいしたものである。
02-'21

Hetzer

ヘッツァー軽駆逐戦車（ドイツ・1944-45年）

■これは19頁のIII号突撃砲と似たコンセプトですが、大戦後半にドイツ国内の突撃砲工場が爆撃で破壊され、その穴埋めとしてチェコの工場で急造された車両なのです。上図のように乗員配置の異様さはトップレベル。しかし7.5cm砲はそこそこの威力があり、待ち伏せ兵器としてうまく使えば役に立ったので、戦後はスイス陸軍がG-13として採用したほどです。

【SPECIFICATION】

重量：15.8 t	装甲厚：60mm	速度：42km/h
全長：4,870mm		乗員：４名
全幅：2,630mm	兵装：7.5cm砲×１門	生産台数：2,827両
全高：2,170mm	機関銃×１挺	

Tiger II (Henschel Turret)

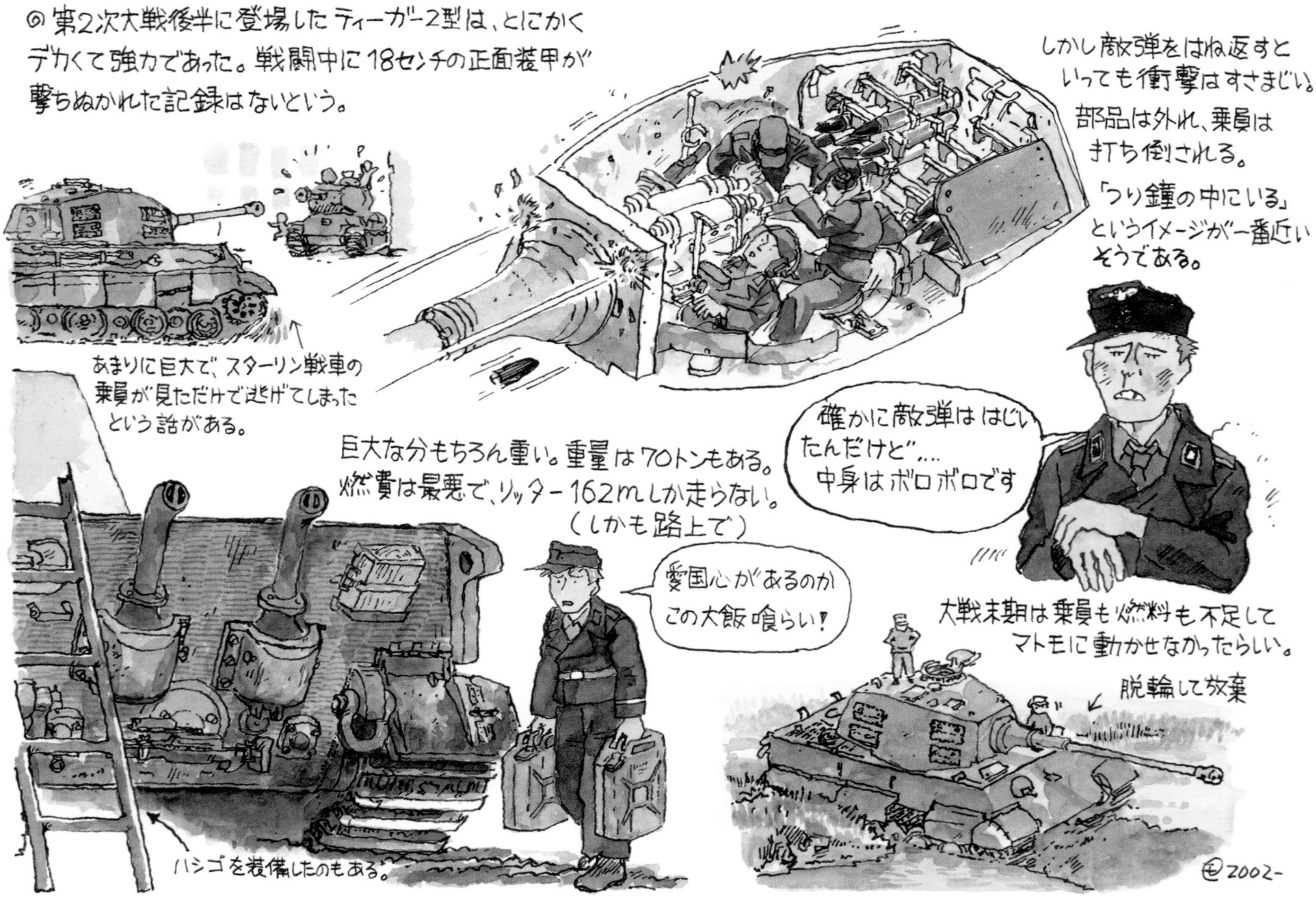

◎第2次大戦後半に登場したティーガー2型は、とにかくデカくて強力であった。戦闘中に18センチの正面装甲が撃ちぬかれた記録はないという。
しかし敵弾をはね返すといっても衝撃はすさまじい。
部品は外れ、乗員は打ち倒される。
「つり鐘の中にいる」というイメージが一番近いそうである。
あまりに巨大で、スターリン戦車の乗員が見ただけで逃げてしまったという話がある。
巨大な分もちろん重い。重量は70トンもある。燃費は最悪で、リッター162mlしか走らない。（しかも路上で）
確かに敵弾ははじいたんだけど”…中身はボロボロです
愛国心があるのかこの大飯喰らい！
大戦末期は乗員も燃料も不足してマトモに動かせなかったらしい。
脱輪して放棄
ハシゴを装備したのもある。
2002-

Tiger II (Henschel Turret)

ティーガーII型重戦車 ヘンシェル砲塔（ドイツ・1944-45年）

■7頁のティーガーⅠ型の進化型なのですが、Ⅰ型の角ばった姿から、パンター戦車（32頁参照）を基本とする傾斜装甲の鋭角的なデザインへと一新されているのが特徴です。主砲の43年式8.8cm戦車砲は、Ⅰ型の56口径長（砲身長が砲弾直径の56倍）から71口径長へと増加していて、3000m以上の遠距離から連合軍戦車のほぼすべてを撃破可能な世界最強の大砲でした。

【SPECIFICATION】

重量：69.8 t	装甲厚：25～150㎜	速度：42㎞/h
全長：10,300㎜		乗員：５名
全幅：3,760㎜	兵装：8.8㎝砲×１門	生産台数：442両
全高：3,080㎜	機関銃×２挺	

赤虎1号
なんじゃこりゃ!!
シークレットアイテム
まっ赤な戦車……歴史の研究なんかでは「なかった」という証明が一番難しいらしいです。え?そういう話題ではない、と……。
赤いものいろいろ
または
赤はエースの色
えと文/モリナガ・ヨウ
燃える男の赤いトラ
◎まっ先に連想するのが錆止めプライマー塗装の戦車。これは第2次大戦末期に塗料が無くなって仕方なくこの状態で戦場にくり出したそうだ。
これは第一次大戦の撃墜王の機体。まっ赤っ赤に塗られている。昔はよかったのだ♪
有名なロボットアニメでもエースは赤い色で飛びまわっている。まあ未来だしな。(主役のメカは、もっとハデハデな色づかいだったりするが)
『空想科学読本4』という本で、著者の柳田サンが戦隊ヒーローのリーダーの色を分析している。赤のリーダー率は82%。柳田さんは「意外と低い」って言ってるけど充分じゃないかなあ?子供は赤い色が大好きだっていうし。
WTM
WTMレンジャーショ
なにわ XX-X
◎ワールドタンクミュージアム的には、もう少しミリタリー系の話題を考えるに……第1次大戦のフランス歩兵は思いっきり赤ズボンだった。行進はさぞきらびやかだったろうなあ…。
ぼくらの7日間戦争だっけ?あれは61式か?
←そういえば映画でペンキをかぶってすごい色になる戦車があったっけ。そんなこと思い出した。
第2次大戦中の→イタリア軍の手榴弾。赤く塗ってあるのはやぱ危ないからかな…
第2次大戦中のイギリス空挺隊はレッド・デビルと呼ばれていましたよ
Ⓜ 2002.

Red Tiger　赤ティーガー

■この赤いティーガーはなんなのかといいますと、WTMの企画元である海洋堂の宮脇修館長が創業時より提唱する「アートプラ」という理念のなかの、《組み上がったプラモはキャンバスであるから、例えば零戦でも燃える闘魂を真っ赤で表現せい!》(意訳)という激情を発展させた塗装表現なのです。よって最強の戦車・ティーガーが赤くてもいいというわけです。

【SPECIFICATION】

重量:57 t	装甲厚:25 ~ 100㎜	速度:38㎞/h
全長:8,450㎜		乗員:5名
全幅:3,780㎜	兵装:8.8㎝砲×1門	生産台数:1,354両
全高:2,930㎜	機関銃×2挺	

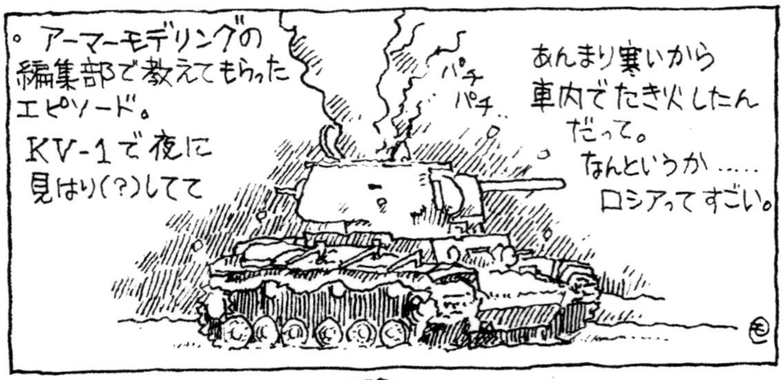
。アーマーモデリングの
編集部で教えてもらった
エピソード。
KV-1で夜に
見はり(?)してて
パチ
パチ..
あんまり寒いから
車内でたき火したん
だって。
なんというか.....
ロシアってすごい。

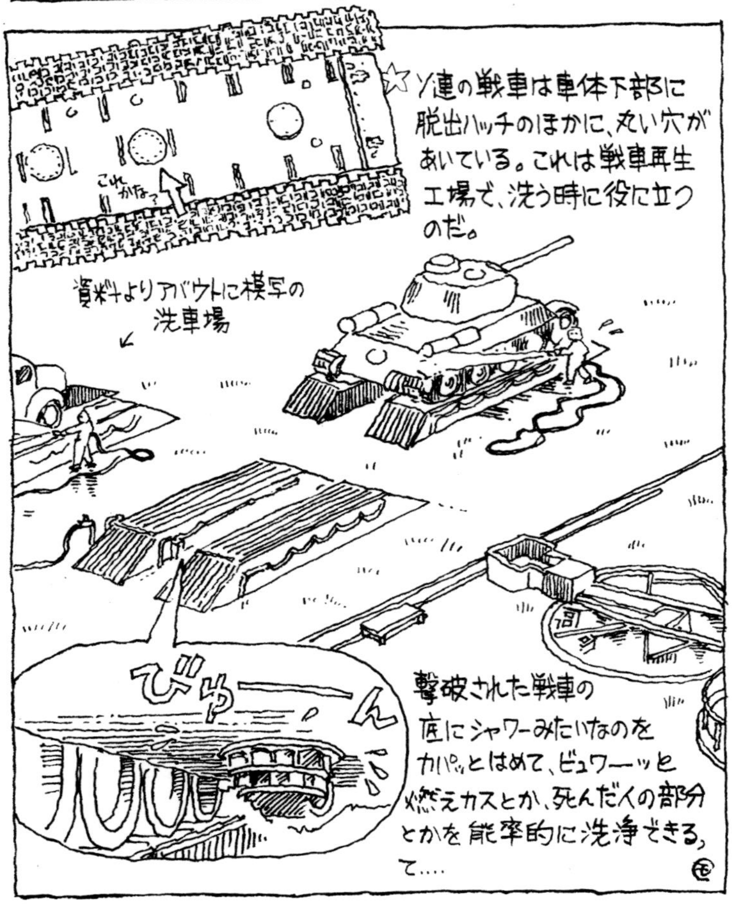
☆ソ連の戦車は車体下部に
脱出ハッチのほかに、丸い穴が
あいている。これは戦車再生
工場で、洗う時に役に立つ
のだ。
これかなっ?
資料よりアバウトに模写の
洗車場
びゅーーーん
撃破された戦車の
底にシャワーみたいなのを
カパッとはめて、ビュワーーッと
燃えカスとか、死んだ人の部分
とかを能率的に洗浄できる、
て....

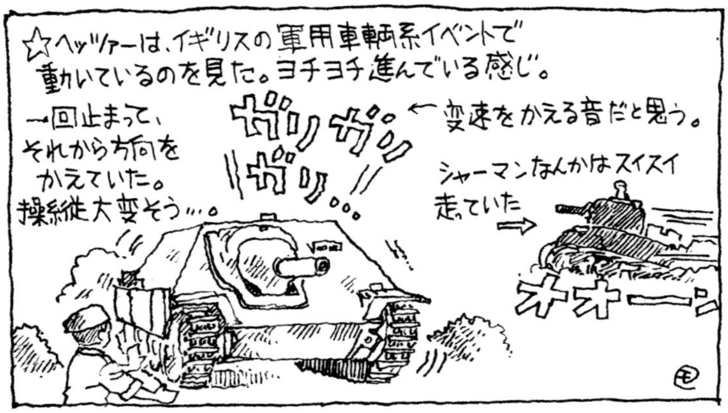
☆ヘッツァーは、イギリスの軍用車輌系イベントで
動いているのを見た。ヨチヨチ進んでいる感じ。
一回止まって、
それから方向を
かえていた。
操縦大変そう...。
ガリガリ
ガリ。。。
←変速をかえる音だと思う。
シャーマンなんかはスイスイ
走っていた
オオーー

- 37：Firefly VC Mono-color Scheme
- 38：Firefly VC Winter camouflage
- 39：Firefly VC 2-Colors Scheme
- 40：Pz.Kpfw.II Ausf.F Desert Scheme
- 41：Pz.Kpfw.II Ausf.F Mono-color Scheme
- 42：Pz.Kpfw.II Ausf.F Winter camouflage
- 43：Fi 156 Storch Winter camouflage
- 44：Fi 156 Storch Desert Scheme
- 45：Fi 156 Storch 2-Colors Scheme
- 46：Kübelwagen Mono-color Scheme
- 47：Kübelwagen Luft Waffe model
- 48：Kübelwagen Winter camouflage
- 49：Kübelwagen Desert Scheme
- 50：T-34/76 (Model 1941) Mono-color Scheme
- 51：T-34/76 (Model 1941) Slogan
- 52：T-34/76 (Model 1941) Winter camouflage
- 53：Panther Ausf.G Mono-color Scheme
- 54：Panther Ausf.G Winter camouflage
- 55：Panther Ausf.G 3-Colors Scheme
- SECRET ITEM：Storch Special mission

PANZERTALES WORLD TANK
ワールド タンク ミュージアム
MUSEUM Series 03

ワールドタンク ミュージアム・ シリーズ 03

発売二年目を迎えた2003年初頭の第３弾では、パンター、ファイアフライといったスター戦車はもちろんのこと、シリーズ初の連絡機が投入されるなど、ファンの期待の遥か上をゆく展開となった。

シリーズ02同様、ドイツ・コブレンツの軍事技術博物館のパンターG型の写真が台紙表面を飾った。裏面は前回に引き続き、小林源文氏による砲弾の効果の図解を掲載。

■37：ファイアフライ・単色迷彩（イギリス・1944-45年）
■38：ファイアフライ・冬季迷彩（イギリス・1944-45年）
■39：ファイアフライ・２色迷彩（イギリス・1944-45年）
■40：II号F型・砂漠迷彩（ドイツ・1941-45年）
■41：II号F型・単色迷彩（ドイツ・1941-45年）
■42：II号F型・冬季迷彩（ドイツ・1941-45年）
■43：シュトルヒ・冬季迷彩（ドイツ・1937-45年）
■44：シュトルヒ・砂漠迷彩（ドイツ・1937-45年）
■45：シュトルヒ・２色迷彩（ドイツ・1937-45年）
■46：キューベルワーゲン・単色迷彩（ドイツ・1940-45年）
■47：キューベルワーゲン・空軍仕様（ドイツ・1940-45年）
■48：キューベルワーゲン・冬季迷彩（ドイツ・1940-45年）
■49：キューベルワーゲン・砂漠迷彩（ドイツ・1940-45年）
■50：T34/76、41年型・単色迷彩（ロシア・1941-45年）
■51：T34/76、41年型・スローガン（ロシア・1941-45年）
■52：T34/76、41年型・冬季迷彩（ロシア・1941-45年）
■53：パンターG型・単色迷彩（ドイツ・1944-45年）
■54：パンターG型・冬季迷彩（ドイツ・1944-45年）
■55：パンターG型・３色迷彩（ドイツ・1944-45年）
■シークレットアイテム：シュトルヒ／特殊任務

■2003年１月発売（生産数300万個）
■造形企画制作／株式会社海洋堂
■原型制作／谷 明
■発売者／株式会社タカラ
■販売者／株式会社ドリームズ・カム・トゥルー
■BOXアート／藤田幸久
■土嚢型ガム（コーラ味）入り、250円
■01の大西画伯、02の上田画伯に引き続き、シリーズ03のBOXアートは、『プラモのモ子ちゃん』の作者であり、柔らかなタッチのメカ描写で定評がある藤田幸久氏が担当。明るいムードのイラストがパッケージを飾った。

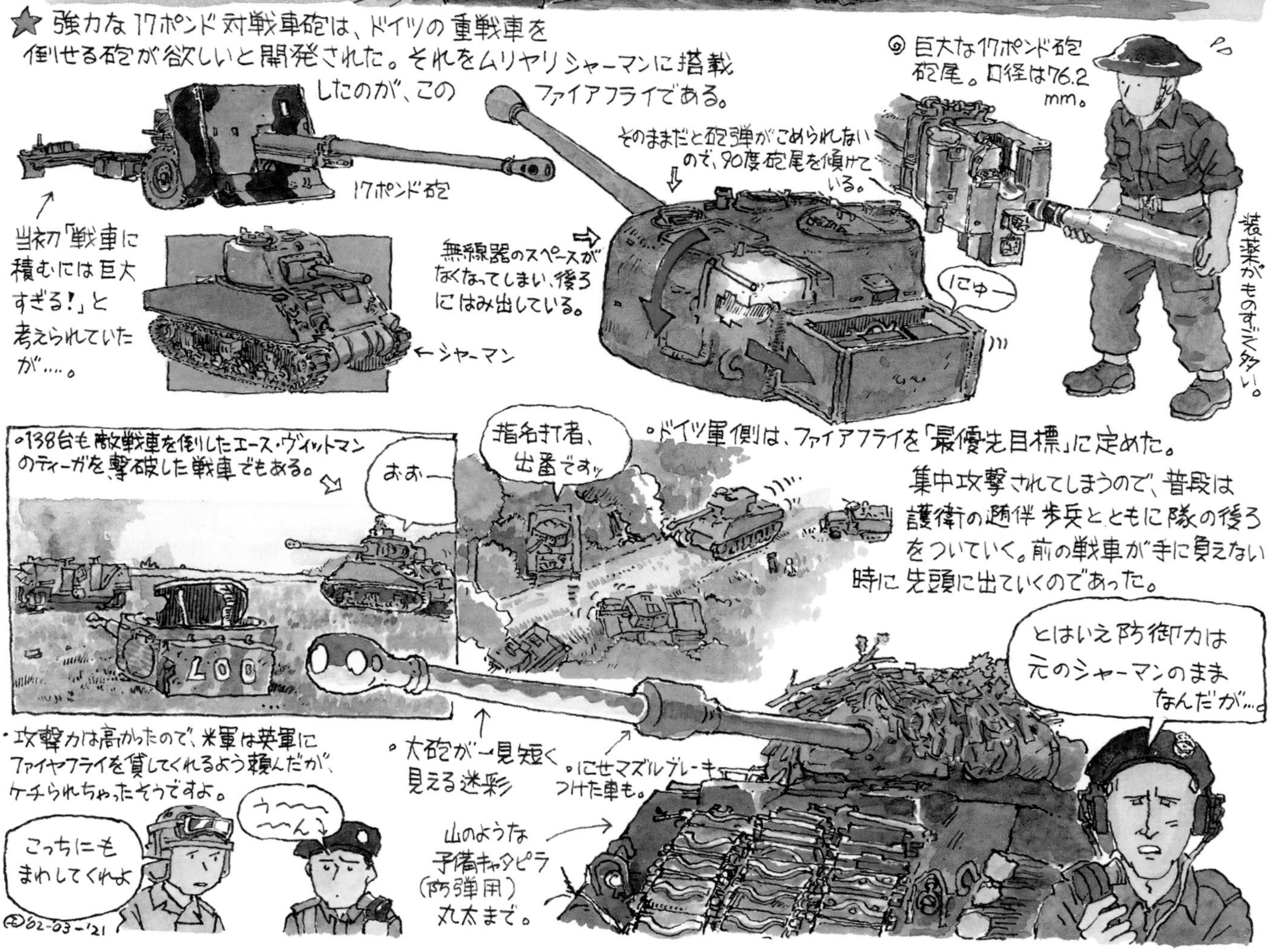
★強力な17ポンド対戦車砲は、ドイツの重戦車を倒せる砲が欲しいと開発された。それをムリヤリシャーマンに搭載したのが、このファイアフライである。
17ポンド砲
当初「戦車に積むには巨大すぎる!」と考えられていたが….。
←シャーマン
無線器のスペースがなくなってしまい、後ろにはみ出している。
そのままだと砲弾がこめられないので、90度砲尾を傾けている。
にゅー
◎巨大な17ポンド砲砲尾。口径は76.2mm。
装薬がものすごく多い。
○138台も敵戦車を倒したエース・ヴィットマンのティーガを撃破した戦車でもある。
おお—
指名打者、出番ですッ
○ドイツ軍側は、ファイアフライを「最優先目標」に定めた。
集中攻撃されてしまうので、普段は護衛の随伴歩兵とともに隊の後ろをついていく。前の戦車が手に負えない時に先頭に出ていくのであった。
とはいえ防御力は元のシャーマンのままなんだが….
・攻撃力は高かったので、米軍は英軍にファイヤフライを貸してくれるよう頼んだが、ケチられちゃったそうですよ。
○大砲が一見短く見える迷彩
○にせマズルブレーキつけた車も。
山のような予備キャタピラ(防弾用)丸太まで。
こっちにもまわしてくれよ
う〜〜ん
02-03-'21

Firefly VC

ファイアフライVC中戦車（イギリス・1944-45年）

■大砲の口径の表記にはお国柄が出ることを先にも書きましたが、大半の国は「㎜」表記が基本です。ドイツが「㎝」で意地を張っていますが、イギリスの気難しさもなかなかのもので、なんと「ポンド」表記となっています。砲の種類を砲弾の弾頭の重さで表すのが英国流なのだそう。1ポンド＝約454gなので17ポンド砲の弾頭は約7.7kg、気になる口径は76.2㎜なのでした。

【SPECIFICATION】

重量：32.7 t	装甲厚：13 〜 89㎜	速度：40km/h
全長：7,420㎜		乗員：４名
全幅：2,670㎜	兵装：17ポンド戦車砲×１門	生産台数：約600両
全高：2,740㎜	機関銃×１挺	

Pz.Kpfw.II Ausf.F

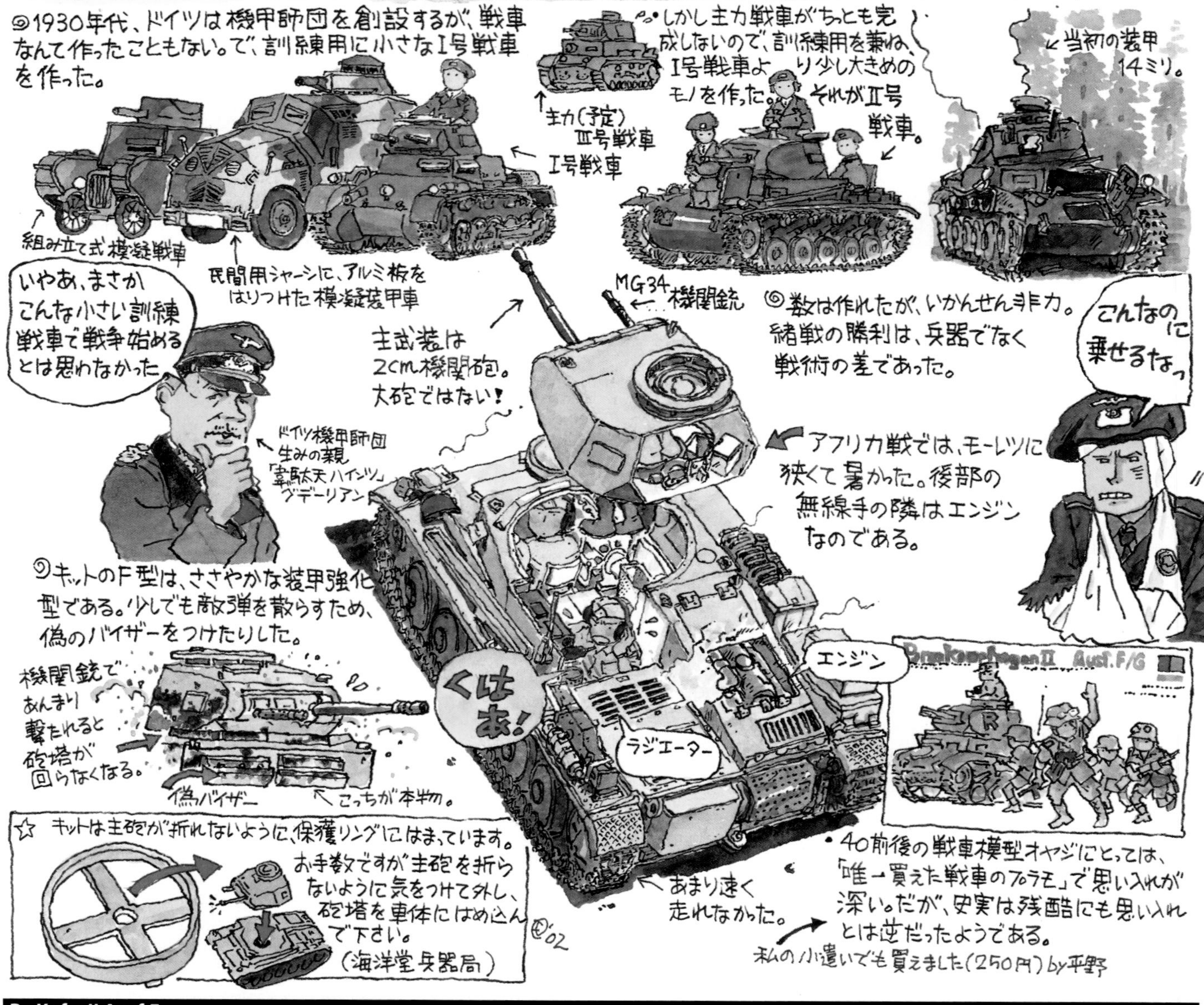
◎1930年代、ドイツは機甲師団を創設するが、戦車なんて作ったこともない。で、訓練用に小さなI号戦車を作った。
組み立て式模擬戦車
民間用シャーシに、アルミ板をはりつけた模擬装甲車
I号戦車
主力(予定)III号戦車
◎しかし主力戦車がちっとも完成しないので、訓練用を兼ね、I号戦車より少し大きめのモノを作った。それがII号戦車。
当初の装甲14ミリ。
いやあ、まさかこんな小さい訓練戦車で戦争始めるとは思わなかった
主武装は2cm機関砲。大砲ではない!
MG34機関銃
◎数は作れたが、いかんせん非力。緒戦の勝利は、兵器でなく戦術の差であった。
こんなのに乗せるなっ
ドイツ機甲師団生みの親「韋駄天ハインツ」グデーリアン
アフリカ戦では、モーレツに狭くて暑かった。後部の無線手の隣はエンジンなのである。
◎キットのF型は、ささやかな装甲強化型である。少しでも敵弾を散らすため、偽のバイザーをつけたりした。
機関銃であんまり撃たれると砲塔が回らなくなる。
偽バイザー
こっちが本物。
くはあ!
エンジン
ラジエーター
☆ キットは主砲が折れないように、保護リングにはまっています。
お手数ですが主砲を折らないように気をつけて外し、砲塔を車体にはめ込んで下さい。
(海洋堂兵器局)
あまり速く走れなかった。
©'02
・40前後の戦車模型オヤジにとっては、「唯一買えた戦車のプラモ」で思い入れが深い。だが、史実は残酷にも思い入れとは逆だったようである。
私の小遣いでも買えました(250円) by平野

Pz.Kpfw.II Ausf.F

II号F型軽戦車（ドイツ・1941-45年）

多くの戦車模型ファンが「II号戦車F型＝北アフリカ戦線」というイメージを持ったのは間違いなくタミヤMMの影響でしょう。1971年発売、戦車と人形５体入りで300円というのは当時の子供にはじつにありがたいキットでした。WTMが一箱250円というのは、現代のII号戦車だったのだとしみじみ思います。★平野さんは海洋堂のWTM担当の方です。通称・海洋堂兵器局。（モ）

【SPECIFICATION】

重量：9.5 t	装甲厚：5 ～ 35㎜	速度：40㎞/h
全長：4,810㎜		乗員：３名
全幅：2,280㎜	兵装：2㎝機関砲×１門	生産台数：524両
全高：2,150㎜	機関銃×１挺	

DV CB
◎第2次大戦初頭、戦車部隊を主力にしたドイツ軍は、戦争のスピードをまるで変えてしまった。ドイツ機甲師団の指揮に欠かせなかったのがシュトルヒ連絡機である。これにより指揮官が前線と連絡を密にとれ、適確な判断を下せるようになった。
なにやってんだ
ぴ。たきゅ
ぴたり
1938年〜量産
・シュトルヒは運動性がよく、テニスコート程の空き地があれば離着陸できたという。向い風だと空中で静止までできる。
なにがどーなっておるやら？
例）フランス軍
それまでは、指揮官は後ちに留まり指揮をだしていた。これでは時々刻々変化する戦況に即応できない。
砂ぼこり立てて大軍勢に見せかけなさーい
冬はスキーを履く。
自動車だと時間かかって大変だよ…
各師団指令部には1〜2機装備されていた。
大会戦の前は続々と将星達がシュトルヒで集まってくる。
アフリカ戦ではロンメル将軍が多用したことで有名である。「神出鬼没」と敵軍に恐れられた。
飛行機は、戦車と違ってあんまり駄目だと使えない（飛ばないから）。シュトルヒは戦後もフランスで生産された名機であった。
空冷式
日本でも'42年に作った。

Fi156 Storch

Fi156シュトルヒ連絡観測機（ドイツ・1937-45年）

■2019年日本公開のロシア映画『T-34 レジェンド・オブ・ウォー』は、戦車狂としか思えない監督が撮った全世界の戦車好き大興奮の傑作映画でした。物語の後半、脱走しドイツ領内を逃走するT-34を、ドイツ軍の戦車士官がこのシュトルヒに乗って捜索するシーンがあります。上空からの場面は、この絵を見たとしか思えない演出でした。監督はWTMを知っているのかもしれません。

【SPECIFICATION】

重量：930kg	翼面積：26.00㎡	武装：機関銃×１挺
全長：9,900㎜	後続距離：470㎞	
全幅：14,250㎜	速度：175㎞/h（海面高度）	
全高：3,050㎜	上昇限度：4,600m	

Kübelwagen

★1930年代、フェルジナント・ポルシェ博士は「国民車構想」を立ちあげた。2人の大人と3人の子供が安全に乗れて、運転もメンテナンスもしやすい…それがフォルクスワーゲンだった。1939年のベルリン・モーターショーで殿堂入り！が、すぐ戦争が始まり国民の手にはわたらなかった。フォルクスワーゲンのシャーシを利用して作られたのがキューベルワーゲンである。
ポルシェ博士。戦車業界的にはわけのわからないスーパー戦車をたくさん考えたことで有名だからモーターで走るエレファントとか。
いきなり軍事転用
兄弟分に水陸両用「シュビムワーゲン」がある⇩
メーターは速度計のみ。燃料タンクもまる見えだ。
やっぱり大人ちんはきびしいよな…
ペラペラだし
ライフル立て
★ドイツ軍を代表するキューベルワーゲンは構造がシンプルで量産がきいた。キューベルはバケツの意味である。
米軍のジープとよく比較されるが、もともとキューベルワーゲンは四輪駆動車ではないし…文献により評価がまちまちである。
いろいろ改造された。
ロンメルのはりぼて偽戦車
←当初エンジンは1000ccなかった。
四駆ならなあ
軽くてよかった
タンカを乗せる救急車
訓練用戦車タイプ
砂漠では沈まぬようにバルーンタイヤ
地上攻撃機《ヤーボ》による空襲がはげしくなると、すぐ逃げられるようにドアをとってしまったのもあるようだ。
海洋堂兵器局からおしらせ
キットにはオマケ(のオマケ)パーツがついています。これはパンター戦車の予備転輪と予備キャタピラです。腕におぼえのある人は、細かいパーツですので注意してプラモデル用カラーで彩色して、好きなところに瞬間接着剤でとりつけて下さい。
02-03

Kübelwagen

キューベルワーゲン野戦乗用車（ドイツ・1940-45年）

■キューベルワーゲンは《かぶと虫》の愛称で呼ばれるフォルクスワーゲンのボディーを簡素化しただけの車ではありません。不整地踏破力向上のため、後輪駆動のドライブシャフトと車輪の間にホイールリダクションギアを噛ませて地上高が嵩上げされているのです。レプリカのキューベルがなんとなくぺたんとして見えるのは、足周りが《かぶと虫》のままだからなのです。

【SPECIFICATION】

重量：725kg	最高速度：85km/h
全長：3,790mm	航続距離：400km
全幅：1,610mm	武装：機関銃×１挺
全高：1,650mm	定員：４名

。1941年、ソ連に侵攻したドイツ軍の前に現れたT34/76は、
それまでの戦車業界を一変させてしまった。
3.7cm対戦車砲「ドア・ノッカー」というあだ名をつけられる
23発喰らわせてもピンピンしてる！
ドイツ軍の装備はいっぺんで旧式化してしまったのだ。
「T34ショック」で、その後のドイツ戦車のデザインも変わる。
のしかし… いろいろ問題はある訳で…
どこ？どこ？
←車長が砲手を兼ねているので、戦闘中はまわりを見る余裕がない。
外を見ようにもハッチが大きすぎ危ない…。
準備なしで戦争に突入したので、マトモに動かせる兵士がいな
かった。
まがれませんっ！
足をどけて！
←砲弾の大部分は床下にあって、とり出すのが大変。車内すごく狭いし。
無線器も全然足りなくて、手旗信号の訓練をみっちりやりました。
でも戦闘中、そんなの出してるヒマないっす。
←結局小隊長の戦車の後にぐるぐるついて回ることになる。これでは高度な連携プレイなど望むべくもなかった。
ぐるぐる…
2002-

T-34/76 (Model 1941)

T-34/76中戦車 1941年型（ソビエト連邦・1941-45年）

■T-34が画期的なのは、それまでのソ連軍戦車が積んでいたガソリンエンジンからディーゼルエンジンに切り替えたことでしょう。ガソリンエンジンは発火しやすく、1939年のノモンハン事件では日本兵の火炎瓶攻撃により多数のソ連軍戦車が燃やされてしまったのです。「日本軍ショック」がT-34/76を産み、それがドイツ軍に「T-34ショック」を与えるのですから歴史は複雑です。

【SPECIFICATION】

重量：28 t	装甲厚：14 ～ 45㎜	速度：49.8㎞/h
全長：6,730㎜		乗員：４名
全幅：2,920㎜	兵装：76.2㎜砲×１門	生産台数：？
全高：2,438㎜	機関銃×２挺	

◎第2次大戦後半のドイツ主力戦車パンターは、「T34ショック」により生まれた。それまでの独戦車とデザインを一新している。
←T34/76
まんまパクったVK3002は諸般の事情でボツ➡
・1943年のデビュー戦では、新兵器にありがちな初期不良で、みんな壊れちゃった。
ボーン!
斜めになると燃料に火がつく
★キットのG型後期は、いろいろ直したパンターの決定版である。
←アゴ付防盾。
それまでのカマボコ型防盾は
敵弾が下にすべって、車体の天井をつき破る被害が続出した。
エンジンが過熱すると自動消火装置が働く。(誤動作が多かったが)
エンジンの熱を利用した車内暖房器
排きょうすると箱に落ちてフタが自動で閉じる。
排気はホースで外に
正確に狙えるようにステレオスコープをつけた型も試作された。
見よ このオーバークオリティーともいえる装備の数々!
実用化!
まだまだ改良を続けていたが、先に戦争に負けてしまった!
夜間でも戦えるように赤外線暗視装置もとりつけた(ごく一部だが)。
※砲塔は途中からどんどんトーチカに転用された(やたら強力)。生みの親のT34/76と同じ運命をたどったのであった。
ストーブつき
オストヴァルトゥルム(東方防塁)
2002-

Panther Ausf.G

パンターG型中戦車(ドイツ・1944-45年)

■前頁の「T-34ショック」の影響力が一目でわかるデザインです。ドイツの伝統的戦車デザインとも言えるⅠ～Ⅳ号やティーガーⅠ型などに見られる垂直面が排除されているのが特徴です。最初に作られたD型～A型と徐々に進歩し、G型は大戦後半の主力戦車として活躍。戦後は、多数を鹵獲したソ連や、ドイツ占領時代の工場で再生産したフランスなどで1950年代まで使われたのです。

【SPECIFICATION】

重量：45.5 t	装甲厚：16～110㎜	速度：46㎞/h
全長：8,860㎜		乗員：5名
全幅：3,400㎜	兵装：7.5㎝砲×1門	生産台数：2,953両
全高：2,980㎜	機関銃×2挺	

シークレットアイテム
シュトルヒ
グランサッソバージョン
えと文／モリナガ・ヨウ
1943年
イタリアの独裁者ムソリーニは失脚し、逮捕・幽閉されてしまった。新しくできた政府は、ドイツとの同盟を捨ててしまう。ムソリーニに復活してもらわないと困るヒトラーは、大救出作戦を命じたのである。
ムソリーニ
スコルツェニー
イタリア
Gran Sasso
どない したらえーんや
SS特殊部隊のオットー・スコルツェニー
ムソリーニが幽閉されている山荘はグランサッソ山中にある。
山麓からの交通手段はケーブルカー一本。ど、どうする？
空挺作戦や 空から行ったれ
グライダーで空挺部隊が山頂付近に強行着陸することにした。機首にブレーキ用逆噴射ロケットつけたそうだ。
通天閣のちが高いでぇ
悪気流をおかして、山荘のウラの空き地に着陸成功！
びっくりしたイタリア兵は、みんな逃げてしまった。
ムソリーニ
あなたは自由です！
おそいわ
5分とたたぬうちにムソリーニの身柄を確保した。
さて、問題はこれからどうやって彼を連れ出すか？
バババ
ここで離着陸の距離の短いシュトルヒの出番である。
がけの上で多数の兵士が機体をおさえて、エンジンまわして…
お前まで乗ったら落ちるやないか！
えーと 史実ではこうなってますが
いっせーの、でパッと手を離すと、シュトルヒは
ヨタヨタしながらも飛びたっていったのだった。
ほかの隊員はどーやって帰ったのかなあ
と、いう訳で ムソリーニ救出で 名をあげた
スコルツェニーは、このあとも特殊コマンドとして
いろいろ やらかしとります
あやしー
1944年末のバルジ大作戦では、パンターを鉄板で囲ったニセ米軍戦車使ったりした。
ニセM10。
米軍はパニックに。
モ 02-03

Otto Skorzeny

オットー・スコルツェニー（ドイツ・1908-75年）

■1943年９月12日に決行されたまるで映画のような作戦、当初はFa223という世界で初めて実用化された双ローター式のヘリコプターが投入される予定でした。しかし作戦直前に破損し、急遽Fi156シュトルヒが代役に抜擢されたのです。いくらSTOL性が高い機体といえど、いきなりの作戦投入はあまりに無謀……しかし操縦者はほんとうによくやり遂げたものだと感心します。

【PROFILE】　1908年６月12日、ウィーン生まれ。1939年に親衛隊特務部隊に入隊、1943年、特殊部隊であるフリーデンタール駆逐戦隊の隊長の任につく。以後、ムッソリーニ救出作戦をはじめ、チトー誘拐作戦、1944年12月のアルデンヌにおけるグライフ作戦（88頁参照）などを指揮した。

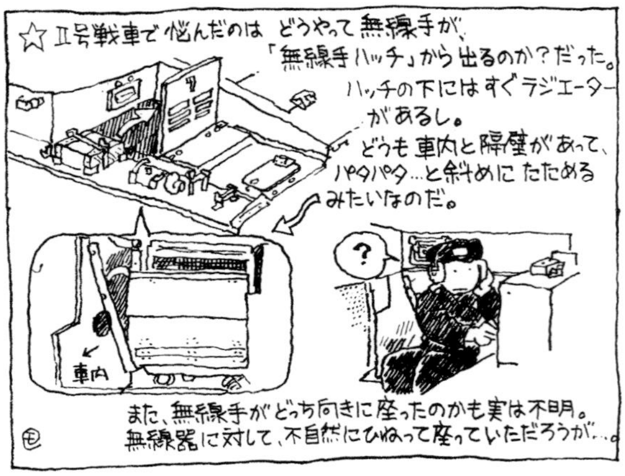
☆II号戦車で悩んだのは どうやって無線手が、
「無線手ハッチ」から出るのか？だった。
ハッチの下にはすぐラジエーターがあるし。
どうも車内と隔壁があって、パタパタ…と斜めにたためるみたいなのだ。
?
車内
また、無線手がどっち向きに座ったのかも実は不明。
無線器に対して、不自然にひねって座っていただろうが…。

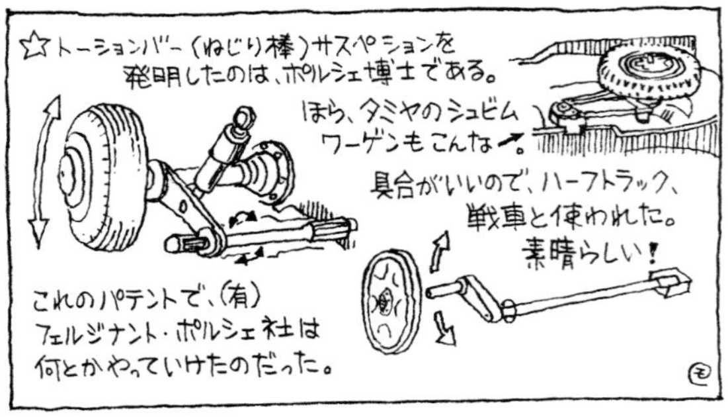
☆トーションバー（ねじり棒）サスペンションを
発明したのは、ポルシェ博士である。
ほら、タミヤのシュビムワーゲンもこんな。
具合がいいので、ハーフトラック、戦車と使われた。
素晴らしい！
これのパテントで、(有)
フェルジナント・ポルシェ社は
何とかやっていけたのだった。

☆T34は車体の後ろに予備の燃料タンクをくっつけている。
……敵弾が当ったらどうするのか！と、思うがT34は軽油で走るので、ガソリンみたいに大発火することはないらしいです。
ガソリンエンジンのもあったが、別の話だ。
だからソ連軍の燃料車をつかまえても、そのまま使える訳ではなかったのである。
ドイツはガソリンなの
軽油かァ

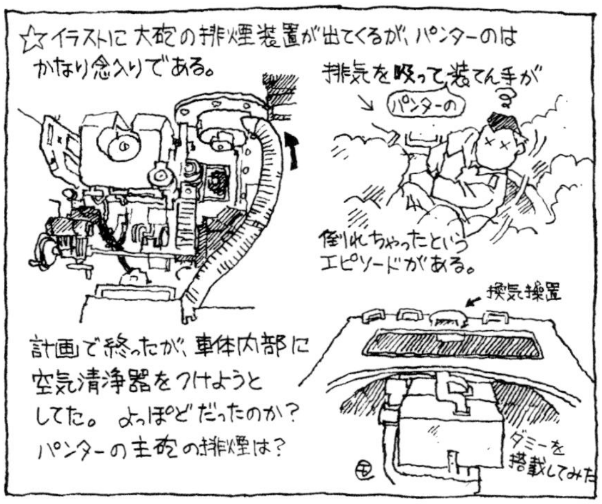
☆イラストに大砲の排煙装置が出てくるが、パンターのはかなり念入りである。
排気を吸って装てん手が
パンターの
倒れちゃったというエピソードがある。
換気操置
計画で終ったが、車体内部に空気清浄器をつけようとしてた。よっぽどだったのか？パンターの主砲の排煙は？
ダミーを搭載してみた

■56：J.G.S.D.F. TYPE 61 MBT 2-Colors Scheme
■57：J.G.S.D.F. TYPE 61 MBT Mono-color Scheme
■58：J.G.S.D.F. TYPE 61 MBT Block Scheme
■59：J.G.S.D.F. TYPE 61 MBT Drop Scheme
■60：J.G.S.D.F. TYPE 90 MBT Mono-color Scheme
■61：J.G.S.D.F. TYPE 90 MBT Dot Scheme
■62：J.G.S.D.F. TYPE 90 MBT Winter camouflage
■63：J.G.S.D.F. TYPE 61 SPRR Winter camouflage
■64：J.G.S.D.F. TYPE 61 SPRR 2-Colors Scheme
■65：J.G.S.D.F. TYPE 61 SPRR Mono-color Scheme
■66：J.G.S.D.F. TYPE 61 SPRR Drop Scheme
■67：J.G.S.D.F. TYPE 87 AWSP Mono-color Scheme
■68：J.G.S.D.F. TYPE 87 AWSP Winter camouflage
■69：J.G.S.D.F. TYPE 87 AWSP 2-Colors Scheme
■70：J.G.S.D.F. AH-1S COBRA Winter camouflage
■71：J.G.S.D.F. AH-1S COBRA 2-Colors Scheme
■72：J.G.S.D.F. AH-1S COBRA Shark Mouse
■73：J.G.S.D.F. TYPE 74 MBT 2-Colors Scheme
■74：J.G.S.D.F. TYPE 74 MBT Mono-color Scheme
■75：J.G.S.D.F. TYPE 74 MBT Zebra Scheme
■76：J.G.S.D.F. TYPE 74 MBT Winter camouflage
■SECRET ITEM：J.G.S.D.F. TYPE 90 MBT (Ridge line fire) Mono-color Scheme
J.G.S.D.F. TYPE 90 MBT (Ridge line fire) Winter camouflage

PANZERTALES
WORLD TANK
ワールド タンク ミュージアム
MUSEUM
Series 04

ワールドタンク ミュージアム・シリーズ 04

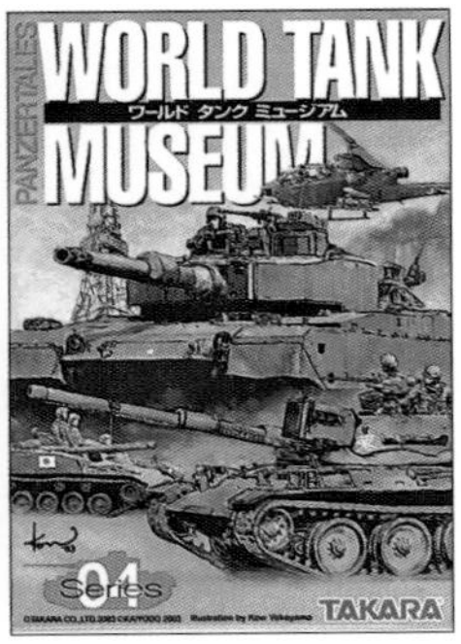

満を持しての登場となった陸自車両。宮脇センム率いる海洋堂兵器局のスタッフは2002年８月の富士総合火力演習を見学、手触りだけでなく音や匂いまでもが反映されたかのような傑作が誕生した。

台紙表面は大空を睨むかのような87式自走対空砲写真。裏面は90式戦車の貴重な内部図解。小さな台紙で大きく学べるお得なもの(作図：浪江俊明)。

■56：陸上自衛隊61式戦車・二色迷彩
■57：陸上自衛隊61式戦車・単色迷彩
■58：陸上自衛隊61式戦車・ブロック迷彩
■59：陸上自衛隊61式戦車・ドロップ迷彩
■60：陸上自衛隊90式戦車・単色迷彩
■61：陸上自衛隊90式戦車・ドット迷彩
■62：陸上自衛隊90式戦車・冬季迷彩
■63：陸上自衛隊60式自走無反動砲・冬季迷彩
■64：陸上自衛隊60式自走無反動砲・二色迷彩
■65：陸上自衛隊60式自走無反動砲・単色迷彩
■66：陸上自衛隊60式自走無反動砲・ドロップ迷彩
■67：陸上自衛隊87式自走対空砲・単色迷彩
■68：陸上自衛隊87式自走対空砲・冬季迷彩
■69：陸上自衛隊87式自走対空砲・二色迷彩
■70：陸上自衛隊AH-1Sコブラ・冬季迷彩
■71：陸上自衛隊AH-1Sコブラ・二色迷彩
■72：陸上自衛隊AH-1Sコブラ・シャークマウス
■73：陸上自衛隊74式戦車・二色迷彩
■74：陸上自衛隊74式戦車・単色迷彩
■75：陸上自衛隊74式戦車・ゼブラ迷彩
■76：陸上自衛隊74式戦車・冬季迷彩
■シークレットアイテム：90式戦車（稜線射撃）・単色迷彩
90式戦車（稜線射撃）・冬季迷彩

■2003年６月発売（生産数250万個）
■造形企画制作／株式会社海洋堂
■原型制作／谷 明
■発売者／株式会社タカラ
■販売者／株式会社ドリームズ・カム・トゥルー
■BOXアート／横山 宏
■土嚢型ガム（ミント味）入り、250円
■第４弾の塗装見本は、宮脇センムの要望により月刊『モデルグラフィックス』や『アーマーモデリング』（小社刊）などで活躍中だった人気戦車モデラー・斎藤仁孝氏が担当、細やかな迷彩が再現され、じつにさまざまな迷彩パターンがあったことがよくわかる。

210
◎61式《ロクイチ》戦車は1961年に制式化された、戦後初の国産主力戦車である。
国内の戦車産業は10年のブランクを埋めるのに必死であった。
〜1945
1955〜
開発スタート
随所に旧軍時代の伝統を引きずっている。
。当時の主力は米軍のおさがり兵器だった。
M4中特車
「民主日本には「戦車」はないっす
でかくて足がアクセルにとどかない!
。武装は90ミリ砲だが、制式化された時には世界の主流はより強力な105ミリ砲になっていた。
日本は山がちだから90ミリ砲で充分なのだっ!
排気管カバーの場所とか。
リモコン式機銃
ステレオスコープ。
車体後部に車内と話せる電話がある。
61式戦車の操縦は非常に難しかった。
いてぇ〜!
ぱよよん
歯車の回転が少しでもあわないとギアチェンジができない。
旧軍+米軍の技術でつくられる。
鉄道輸送を考え、車幅は3メートル以下に抑えられた。
61式は、都心をパレードしたことでも有名だ。
前車の排ガスで目はまっ赤
変速レバーがはじき戻され操縦手の腕時計がわれる
だから右手につけかえる
キュラキュラキュラ
下り坂を猛スピードで走ってくる61式には気をつけろ、と教えられました
61式は2000年に無事退役しました。
㊮2003.
つわぁ〜
履帯はシングルピンなので、キュラキュラという音がしたそうである。
海洋堂兵器局のおしらせ。
模型の機銃は折れないようランナーについています。
注意して切りとり、車長キューポラにはめて下さい。

TYPE 61 MBT

61式戦車（陸上自衛隊・1961-2001年）

■陸上自衛隊はその創設時よりアメリカ軍からM4、M24、M41戦車などの供与を受けてきましたが、90㎜砲装備のM47（93頁参照）にも興味津々。しかしアメリカ側の都合で供与は叶わず国産化に方針転換することになったわけです。しかし参考用に1両だけ供与されることになり、後部が突出した鋳造砲塔や排気管の位置など、M47の影響が随所に見受けられます。

【SPECIFICATION】

重量：35 t	装甲厚：16～114㎜	速度：45㎞/h
全長：8,190㎜		乗員：4名
全幅：2,950㎜	兵装：90㎜砲×1門	生産台数：560両
全高：2,490㎜	機関銃×2挺	

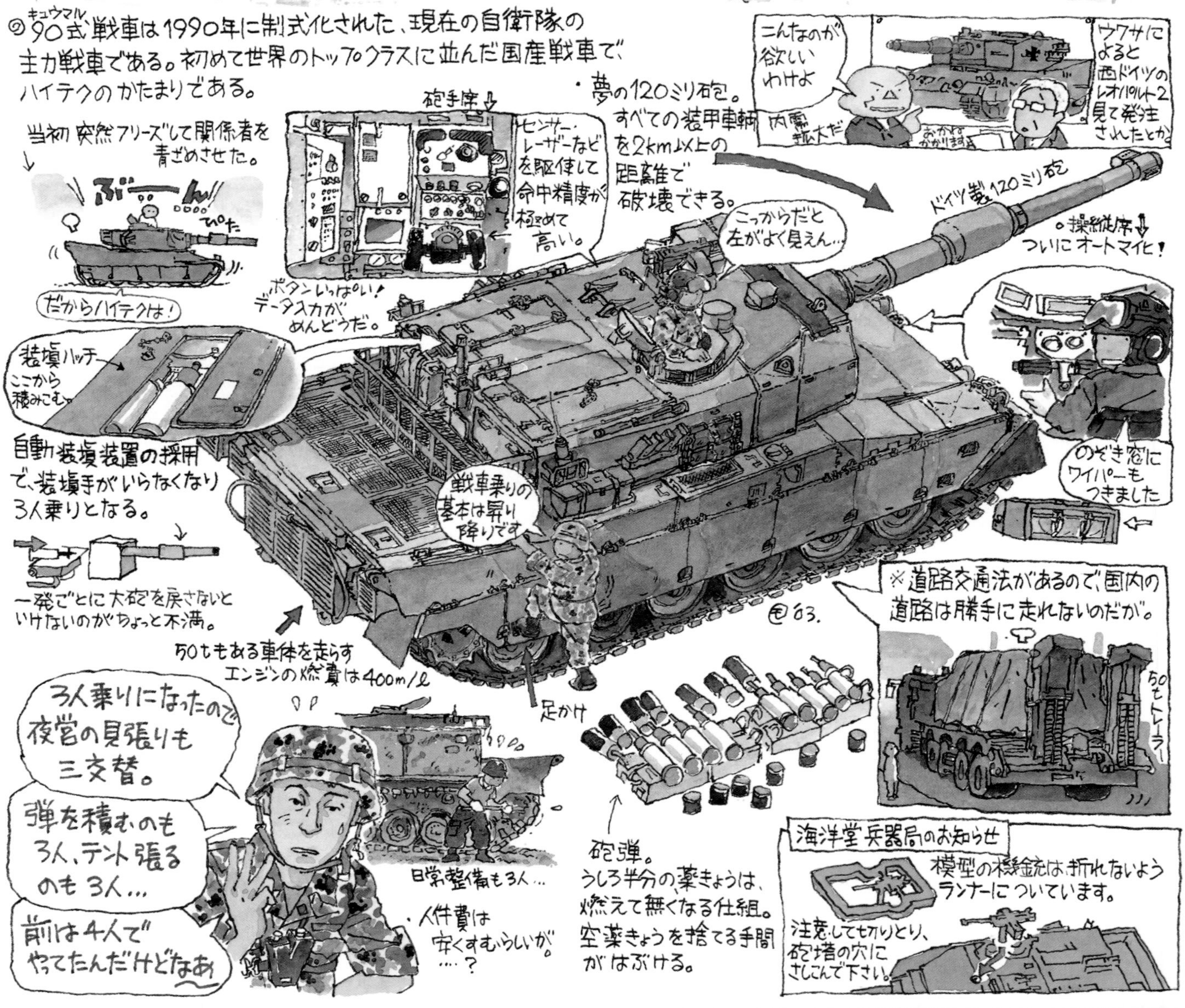
◎90《キュウマル》式戦車は1990年に制式化された、現在の自衛隊の主力戦車である。初めて世界のトップクラスに並んだ国産戦車で、ハイテクのかたまりである。
当初突然フリーズして関係者を青ざめさせた。
ぶーーん!!
ぴた
だからハイテクは!
砲手席
センサー・レーザーなどを駆使して命中精度が極めて高い。
ボタンいっぱい!データ入力がめんどうだ。
・夢の120ミリ砲。すべての装甲車輌を2km以上の距離で破壊できる。
こんなのが欲しいわけよ
内需拡大だ
おかねがかかります
ウワサによると西ドイツのレオパルト2見て発注されたとか。
ドイツ製120ミリ砲
こっからだと左がよく見えん…
・操縦席 ついにオートマイヒ!
のぞき窓にワイパーもつきました
装填ハッチ
ここから積みこむ。
自動装填装置の採用で、装填手がいらなくなり3人乗りとなる。
一発ごとに大砲を戻さないといけないのがちょっと不満。
戦車乗りの基本は昇り降りです
50tもある車体を走らすエンジンの燃費は400m/ℓ
足かけ
※道路交通法があるので、国内の道路は勝手に走れないのだが。
50tトレーラー
3人乗りになったので夜営の見張りも三交替。
弾を積むのも3人、テント張るのも3人…
前は4人でやってたんだけどなあ
日常整備も3人…
・人件費は安くすむらしいが。…?
砲弾。うしろ半分の薬きょうは、燃えて無くなる仕組。空薬きょうを捨てる手間がはぶける。
海洋堂兵器局のお知らせ
模型の機銃は、折れないようランナーについています。
注意して切りとり、砲塔の穴にさしこんで下さい。

TYPE 90 MBT

90式戦車（陸上自衛隊・1990年-）

■61式、74式と発展した国産主力戦車の三代目の90式は、第３世代戦車の証とも言える複合装甲をまとい、それまでの砲塔がなめらかな鋳造であったのに対し角ばったデザインへと変貌しました。50トンもの巨体を間近に見ると、重戦車のような迫力を感じます。輸送時には砲塔と車体を別にしますが、積載量50tの特大型運搬車ならばそのまま運ぶことが可能です。

【SPECIFICATION】

重量：50.2 t
全長：9,755㎜
全幅：3,330㎜
全高：2,335㎜
装甲：複合装甲
兵装：120㎜滑腔砲×１門
機関銃×２挺
速度：70㎞/h
乗員：３名
生産台数：341両

◎60《ロクマル》式無反動砲は、タンク・デストロイヤーの一種である。
創生期の自衛隊は米軍のおさがり兵器ばかりだったので、そろそろ自前のを…と作られた。専守防衛に徹したまちぶせ兵器である。
基本的に戦中の技術で作られた。
スポットライフル
狙いをつけるため、はじめに一発（12.7ミリ弾）を撃ってみるしくみ。
主砲弾は車体の外においてある。弾こめは車外に出て行うのだ。
この部分
◎無反動砲ってなんだ？反対方向に弾丸の発射に必要な力と同量のガスを噴き出してバランスをとるものである。ものすごく大量の火薬を消費するが、砲は軽量にできる。
・うしろが抜けている。
・ちなみに61式戦車の90ミリ砲の反動は210tあるらしい。
すさまじいバックブラストである。撃ったらすぐ逃げなくてはならない。
バカン
居場所モロバレ。
試作車はうしろにも操縦席があった
車体は地形の陰に隠して撃てるように、砲座が油圧で上下する。
ピュー
音もすごいんですけど、衝撃波がすさまじいです。
正面にスキマができてスリリングだ！（あとでフタをする）
車長（砲手）
操縦手
装てん手
うしろむきに座るので酔います。
近くにいると鼻から口に抜ける。歩兵とともに行動することが多い。
油断すると下がる時足をはさむ。

TYPE 60 SPRR

60式自走無反動砲（陸上自衛隊・1960-2008年）

■戦後初めて日本が開発した装軌式装甲戦闘車両です。随所に旧日本陸軍車両のような雰囲気が残っていますが、制式化から約五十年、2008年まで運用されていました。ちなみに、このVOL.04自衛隊篇は、自衛官の人に実際に取材して記事が書かれています。「鼻から口に抜ける」というのは、近くにいた隊員ならではの感想ではないでしょうか。

【SPECIFICATION】

重量：８ｔ	装甲厚：15～30㎜	速度：55㎞/h
全長：4,300㎜	兵装：106㎜無反動砲×2門	乗員：３名
全幅：2,230㎜	12.7㎜スポットライフル×1門	生産台数：253両
全高：1,380㎜		

@87《ハチナナ》式自走対空砲は、1987年に制式化された。戦車部隊に随伴して空の防御をする車輌である。
捜索レーダー
西ドイツのゲパルトをお手本にした。
追備レーダー
※ゲパルトのレーダー配置は特許なのでマネできないのだ。
自動追備などハイテク対空システム。
捜索レーダー
目標追尾レーダー
※米軍はこういったタイプの対空自走砲を作るのをやめてしまった。制空権は奪われるモノ、と日本やドイツは考えているのだ(第二次大戦でひどい目にあったから)。
・スイスのエリコン社35mm機関砲をライセンス製産
足まわりは74式と同じ。90式の速度についていけない。
有効射程は3000メートルある。その辺に弾丸をバラまく訳にはいけないので、訓練は海にむかって行っているそうだ。
電気を喰うのでここにエンジンを増設。
何発積めるかは国家機密だっ
この35ミリ機関砲は1秒間に20発撃てる。
人力で給弾の図
弾丸はものすごくデカイ
ギッギッギ
35mm弾。
直経3.5cm
薬きょうは500mℓのペットボトルくらいありそうだ。
空薬きょうは回収するキマリ。シートを広げて訓練しているところが自衛隊である。
かなりの高性能なのですが、最大の問題はその高価格。90式戦車2台分です(約16億円)。
そのせいで毎年ちょっとずつしか配備されず、まるで数が揃いません。
年2輌らしい。
海洋堂兵器局からのお知らせ
細いので折らないように注意。
模型は砲塔が外された状態で箱に入っています。車体の穴にはめこんでください。
'03-'2

TYPE 87 AWSP

87式自走高射機関砲(陸上自衛隊・1987年-)

■近年では対する航空ミサイル性能が主武装の高射機関砲を上まわり、だいぶ立場が苦しい兵器となりましたが、富士総合火力演習で対地射撃する姿は迫力に満ちています。じつは対空射撃をする場所は限られており、国内では北海道の静内対空射場でのみ可能なのです。★対ドローンに有効らしいとまさかの再評価です。(モ)

【SPECIFICATION】

重量:38 t
全長:7,990㎜
全幅:3,180㎜
全高:4,400㎜
装甲厚:?
兵装:35㎜機関砲×2門
速度:53㎞/h
乗員:3名
生産台数:52両

◎この攻撃ヘリ「コブラ」は、対地攻撃専用に作られた。もともと米軍がベトナム戦争時、次の型ができるまでの暫定型として作ったが、そのまま今日に至る傑作機だ。
↑昔から戦車は空からの攻撃には弱い。たとえばドイツのルーデルは敵戦車を550台たおしたと言っている。
・目立たぬように地形ぞいに低く飛んでくる。発見は難しい。
機体幅を狭くするため、座席は直列（後席が操縦手・前席が射手）。前席でも操縦できるが、かなり難しいらしい。
・乗員のヘルメットには棒がついていて、機体につながっている。視線の動きを伝えて、機銃もグリグリ同調して動くのだ。
←ミラー
対戦車ミサイルは誘導式なので、目標に命中するまで狙いつづけなければならない。その間機体がムキ出しになるから、ちょっと怖い。
※ものすごく燃料を喰うので、あまり長く戦えない。敵を捜索しつつ攻撃する、というスタイルはとらず、偵察ヘリの指示で出撃するのである。
機体の幅は1メートル弱しかなく、前に立つと薄さにびっくりします。
このくらい？
海洋堂兵器局から
・付属パーツ（ローター）を取りつけて下さい。大きいのが前、小さいのが後です。
折らないように注意！
Ⓜ2003-

AH-1S COBRA

AH-1S対戦車ヘリ・コブラ（陸上自衛隊・1982年-）

■1981年から部隊配備が始まったAH-1は、その7機目からは富士重工業によるライセンス生産となりました（AHはAttack Helicopterの略）。2000年までに90機が生産されましたがすでに四十年以上が経過しており、いまでは約50機が稼働中です。後継機のAH-64Dアパッチの調達数が13機で終了したため、コブラはまだしばらくその牙を磨き続けるしかありません。

【SPECIFICATION】

全長：16,160㎜	航続距離：456㎞	兵装：20㎜機関砲×1
（胴体：13,590㎜）	実用上昇限度：3,960m	対戦車誘導弾×8
全幅：3,280㎜	速度：315㎞/h	70㎜空対地
全高：4,190㎜	乗員：2名	ロケット弾ポッド×2

7
◎74《ナナヨン》式戦車は、1974年に制式化された戦車だ。同世代の戦車より後発の分、進化していた。
・当時の業界の流行を色濃く反影している。理想は高く凝りに凝っているのだ。
最大の特長は、油圧で車高を自在に変化できること。日本の、山がちな地形にぴったりだ。
試作時はよく油が抜けた。
だあ——
そこまでひどくなくても、傾いて走ってるのはけっこうある。
…
念願の105ミリ砲。だが、制式化するや否や世界は120ミリ砲時代に。
アクティブ投光器。赤外線フィルターを外すと、自殺行為的明るさ。1500メートル先で夜間本が読める。
・車高が低いので、車内は狭い。米軍が視察・試乗した時のエピソード
で、砲手はどこに座るの？
…あなたの足の間ですが？
砲手は車長になにかあると出られなくなっちゃう、らしい。
伝統の排気管ポジション。
・弾をすべらせそらすため、ひらべったい形をしている。
高速化を考えた日本戦車初の大型転輪
クッション
ケースから出して
ピンを抜いて
クッションをはめときます。
これは凝りすぎでは？の煙幕弾装着手順。（赤いフタは装てん済のしるし）。
74式は、「戦車はボカスカ撃ち合うモノ」という思想で作られた最後の戦車でした。その後 改造案も考えられましたが、お金がかかるので4台で中止になりました。
改
新しいの買ってよ
潜水キットをつけると、2mはもぐれる。
（その時操縦手はカッパを着る。）
え？
Ⓜ2003.
海洋堂兵器局のお知らせ。
模型の機銃は折れないようランナーについています。
注意して切りとり、砲塔の穴にさしこんで下さい。

TYPE 74 MBT

74式戦車（陸上自衛隊・1974年-）

■61式戦車は鉄道輸送のため、車幅が3m以内（2.95m）に抑えられていましたが、74式では運搬車での輸送が主となったのでその制約を離れ3.18mと拡幅されています。避弾経始を考慮した鋳造砲塔を持つ各国戦車は爆発反応装甲で近代化されましたが、74式は研究どまりで装甲強化した姿は見られませんでした。873両が生産され、年に40両のペースで退役しています。

【SPECIFICATION】

重量：38 t	装甲厚：？	速度：53㎞/h
全長：9,410㎜		乗員：４名
全幅：3,180㎜	兵装：105㎜砲×１門	生産台数：873両
全高：2,250㎜	機関銃×２挺	

シークレットアイテム
90式
稜線射撃!!
えと文/モリナガ・ヨウ
あんまり関係ないかも…
90式 IN ACTION
あのティーガーも必死で稜線を利用してますっ
車高が低いのは有利なんだが
砲尾が天井につかえてあんまり俯角がとれなかったりする。
T62
うーむ
-4
-10
平地ではこっちのちがいいのだが。
㊟『戦車メカニズム図鑑』上田信 1997. グランプリ出版
地形を利用して、できるだけ姿をさらさないようにするのは戦車の基本である。斜面に陣取り頭だけ出して攻撃するのを稜線射撃という。しかし逆斜面にいると戦車の大砲を下に向けないといけない(俯角)わけだが、意外と戦車って俯角がとれないのであった。
☆ところが、90式戦車は姿勢を上下に変えられる。稜線射撃、すごい得意。
日本は山がちだから必要とされている能力である
実際はカモフラージュバリバリになるようです
最近の戦車は異常に強力で、一発喰らったらアウトだ! だからとにかく初弾必中! こちらの位置が隠せるにこしたことはないのじゃ.
一発撃ったらダッシュで逃げる。
60式無反動砲
Ⓜキットのブリスターパックは、台座として使えます。プラモデル用塗料を使ってかっこよく仕上げて下さい。
Ⓜ2003.
☆姿勢制御について
・90式は片側6輪の転輪のうち、左右とも前後の2輪が油気圧式である。前後と高低の姿勢制御ができる。その前の代、74式戦車は前後左右高低なんでもできたが、
車止めをはさむ。
あとに続かなかった。そんなにいらなかったのかな…。ところで74式の足まわりを持った87式自走対空砲も姿勢を変えられる。陣地に納まっている時は、安定をよくするため、ペタンコになっているようである。
海洋堂兵器局から
機銃が別パーツになっているので、切り離して砲塔の穴にはめて下さい。
ランナーから切る。ニッパーがあると便利です。

TYPE 90 MBT

90式戦車（陸上自衛隊・1990年-）

■戦車の車高を自在に変化させる油気圧式サスペンションを最初に導入したのはスウェーデンのStrv.103（99頁）でしたが、専守防衛を基本姿勢とする日本でも74式の開発時には待ち伏せに特化した同様のコンセプトが立案されました。74式は前後左右の高さが変えられましたが、90式では前後のみに限定。それでも大きな車体を隠して狙い撃ちできるのは大きな利点なのです。

【SPECIFICATION】
重量：50.2 t
全長：9,755㎜
全幅：3,330㎜
全高：2,335㎜
装甲：複合装甲
兵装：120㎜滑腔砲×1門
機関銃×2挺
速度：70㎞/h
乗員：3名
生産台数：341両

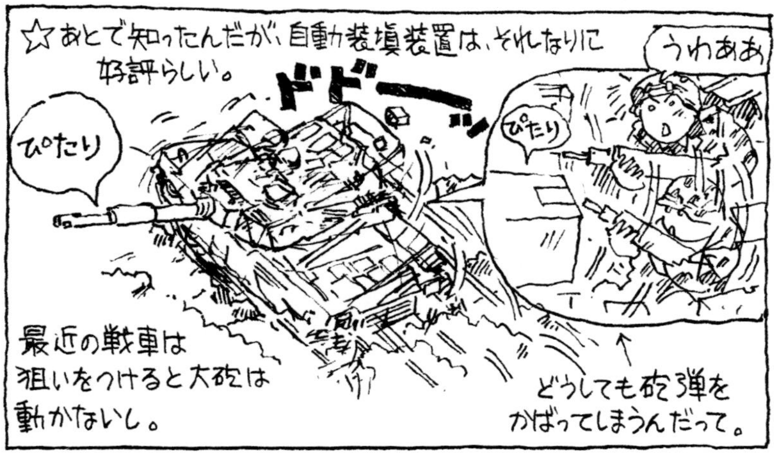
☆あとで知ったんだが、自動装填装置は、それなりに好評らしい。
ドドーーッ
ぴたり
うわああ
ぴたり
最近の戦車は狙いをつけると大砲は動かないし。
どうしても砲弾をかばってしまうんだって。

海洋堂・宮脇センム回顧録

食玩ブームのさなかである2002年、1/144スケールの戦車模型、しかも塗装済み完成品がお菓子のおまけとして全国のコンビニなどにずらりと並んだ。戦車模型史上最大の作戦を指揮した人物、それは模型愛はもちろん、戦車愛という究極的な偏愛の持ち主、海洋堂・宮脇修一氏である。〝WTM現象〟ともいえる一大ブームを、発売から20年の節目に回顧していただいた。

1

2

3

123『ワールドタンクミュージアム』（以下WTM）第１弾は、2002年２月３日のワンダーフェスティバル2002［冬］において６個セットの限定仕様で先行発売された（１万セット、キット版T-34/85付き、1,500円）。

その前年８月５日開催のワンダーフェスティバル「リスタート2001」では、アーマーモデリングのブースでティーガーⅠ型後期型のキット版がテスト販売されている（ビニール袋入り、１個100円、3000個が２時間半で完売）。
当初は「キャンディータンク」「食玩戦車」などと呼称されていたが、「PANZERTALES ワールドタンクミュージアム」という正式名称は2001年初夏に決定した。

20年目のワールドタンクミュージアム

　1999年、お菓子のおまけ、いわゆる食玩と言うジャンルで海洋堂がフィギュア制作を手がけた『チョコエッグ日本の動物コレクション』が発売されました。

　それまでのお菓子のおまけと違い、精密な造形にリアルな彩色を施したおまけフィギュアが150円と安価に入手できることで、フィギュアというものにお金を出さない日本人の意識に化学変化を起こし、発売当初からいきなり大ヒット商品となったこのシリーズは、３年間で１億3,000万個という記録的な売上となりました。

　この大成功は、キャラクターものフィギュアに比べ、それまで海洋堂内で「お荷物」であった自然史系動物フィギュアがそのライバルとなり得る圧倒的な存在感と販売実績を示した奇跡的な出来事でありました。このシリーズは造形作家・松村しのぶ一人の手になる造形世界であり、海洋堂がそれまで成し得なかった恐竜や歴史美術などの「パブリックドメイン」によるキャラクターに頼らない未来が始まることとなったのです。

　そうなると、私としては作りたい別の作品世界がありました。すなわち極小スケールの戦車シリーズです。海洋堂で活躍する造形作家〝天才〟谷 明による精密な造型であれば、お菓子のおまけという小さな世界でも魅力ある戦車を作れるのではないか、と考えて彼に試作品を作ってもらいました。

　このシリーズ（『ワールドタンクミュージアム』と名づけられることになります）のコンセプトは、戦車模型の楽しさを多くの人に伝えたいということでしたので、スケールモデルの要素を前面に押し出し、1/144スケールに統一することも大きなテーマでありました。実際、谷くんが最初に作った［エレファント］を見て「これは勝ったな」と実感したものです。いまでもこのサイズの戦車造形作品は色々とありますが谷くんの手先から生まれる、そのサイズに応じた人の手から作られる彫刻作品としての魅力は

4

多彩な派生車両たち

◉WTMの発売と同時に、さまざまな関連商品が発売された。実際の戦車同様、派生型が大量に誕生したのである。それは海洋堂自社による特別仕様（写真4、宮脇センムの出版記念回の引き出物）であったり、ゲーム作品や模型雑誌（48頁参照）とのコラボ商品であったが、オリジナルのWTMとは異なった塗装などが施されており、コレクターズアイテムとしては貴重なものばかりだった。

5『ロマンアルバム ポケット ワールドタンクミュージアム』（徳間書店）。解説冊子にヴィットマン搭乗のティーガーＩ型が付属した。

5

6『ワールドタンク ディビジョン』（ジャイブ）。ボードゲームの駒として既存車両が付属したもの（ＩおよびIIの二種類あり）。

6

7

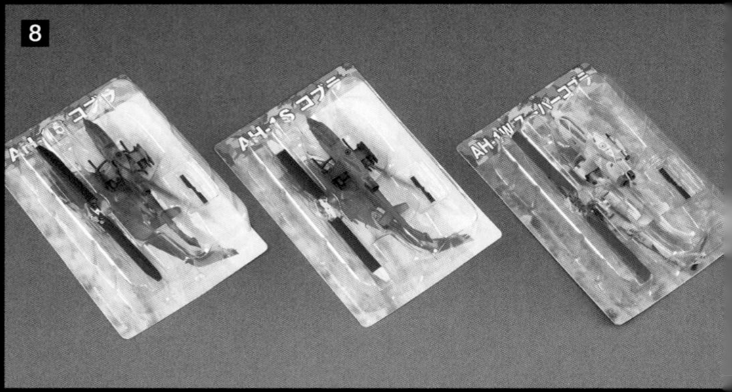

8

9

10

7〜10『ワールドタンクミュージアム 大戦略エディション』（タカラ）。ゲームソフト『大戦略VII for Xbox』の連動商品。
74式戦車（単色迷彩・２色迷彩）、90式戦車（単色迷彩・２色迷彩）、フィギュア付き）、AH-1S（陸自・米軍迷彩）の各２個セット。
74式戦車（写真7）はドーザー付きの特別版。またゲームの初回限定版にはAH-1W（写真8右）が同梱された。

手に取った者にしかわからない感動です。

そして彼が試作した［エレファント］や［ティーガー］を、かねてよりつながりのあった『モデルグラフィックス』誌（姉妹誌として戦車模型専門誌『アーマーモデリング』もあります）（小社刊）編集部に持ち込み、戦車模型関係者の知恵と能力を結集した製品にするため、彼らの意見を盛り込みつつ製品化を進め、記事としても大きく取り上げていただきました。

戦車フィギュアを収めるブリスターパックの台紙には、世界の戦車博物館で撮影した実車の写真と専門家ライターによるテキストを使用。過大な情報量を詰め込むことで極めて充実したものとなりました。さらにボックスアートにはプラモデルのパッケージで著名なイラストレーターを起用し、第１弾は大西将美先生、続いて上田 信先生、髙荷義之先生と続々お願いするかたちとなり、製品の形が段々と作られていきます。

そして最後の大きなピース、本格的な付属解説書もおよそお菓子のおまけには全く似つかわしくないものとなりました。この書籍を購入された方は100％お分かりと思いますが、モリナガ・ヨウ先生の手になる戦闘、生活、運用などなどその戦車の特徴がしっかりと描かれた解説は、戦車に「少しだけ興味がある」層を今より深いところへ誘う入門書として素晴らしいものとなったのです

これらの才能の結集により発売された「ワールドタンクミュージアム第１弾」はいきなり100万個が即完売となる大成功をおさめ、第２弾は150万個、その次が200万個、そして更に……と弾を重ねるごとに生産数が増えていきました。シリーズ９弾ともなると総生産数は1,500万個ほどになりましたが、発売元のタカラの都合により残念ながら終了することとなりました。

当時は食玩が市場空前の大ブームとなり『ワールドタンクミュージアム』を生産する6,000

11『大勝利Tシャツ』（製作：カイカイキキ／販売：ホビーロビー東京、大阪）。村上隆氏のプロデュースによりモリナガさんのイラストを配したTシャツが三種販売された（絵柄は写真11の谷さんバージョンと、宮脇元帥の大勝利宣言バージョン、そしてティーガーII型）。
12、13は谷さんバージョンのラフスケッチ。

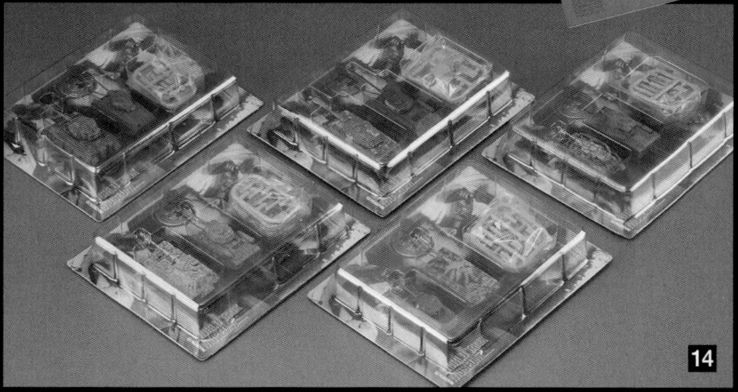

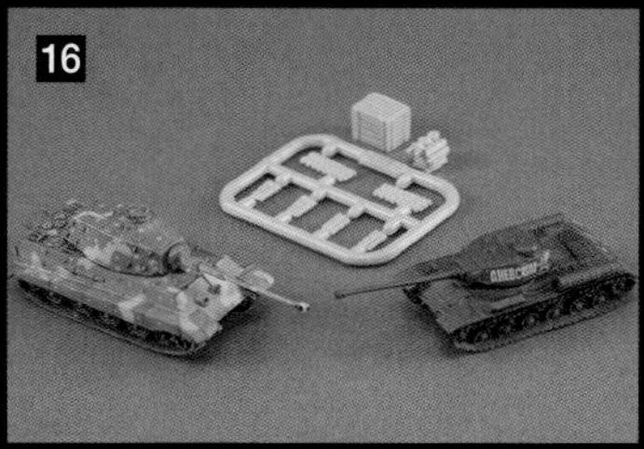

14『ワールドタンクミュージアム 対決編』（タカラ、2003年8月発売、500円）。五つの戦線別に対決車両とアクセサリーが付属。第1～3弾からの選択だが、初期の原型で精度に差がみられる車両については谷氏による新規造形となっている（なかでもIV号戦車はJ型がH型に修正された）。
15対決1はノルマンディー戦線（ティーガーI型後期型 VS ファイアフライ）。
16対決2はダンツィヒ（ティーガーII VS スターリン）。
17対決3は東部戦線（IV号戦車H型 VS KV-1A）。
18対決4は東部戦線（エレファント VS T-34/85）。
19対決5はアルデンヌ戦（パンターG型 VS M4A1）。

戦車マニアの聖地のひとつ、アメリカ・アバディーン戦車博物館を訪れた海洋堂兵器局視察団。ドイツ軍の28cm列車砲［レオポルド］の車上で記念撮影。（写真提供：海洋堂／2003年撮影、同館は現在閉鎖）

戦車のなかでもとくに後期のドイツ戦車の装甲板斜面はとにかく登りにくい。アバディーンのパンターA型に登頂成功しご満悦の兵器局・平野氏

人規模の巨大なフィギュア工場も毎日24時間フル操業で生産に追われておりました。レギュラーのシリーズ以外にも対決編やゲーム『大戦略』とコラボしたシリーズ、赤外線リモコン版、そしてサードパーティ各社からの関連商品により1/144という新しい戦車模型のスケールも開拓されました。

大ヒットのお陰で実際に海外の戦車博物館に取材に行くこともできました。最初に行ったアメリカ・アバディーン戦車博物館では、山のようにそびえるヤークトティーガーの巨大さに興奮した開発担当の兵器局・平野くんが側面をよじ登ろうとするも、巨大な鉄の塊に圧倒されて登りきれなかったり、イギリス・ダックスフォードミュージアムに飾られている「T-34」や「25ポンド砲」など、これまでタミヤの模型で見慣れた戦車や、横に飾られている等身大の展示人形がそのまま目の前にあり、「あぁ、タミヤはこーゆー博物館の感動を私たちに伝えてくれていたのだな～」と戦車模型の後発者としての喜びに浸ることができたりと、ミニチュア模型の開発とはいえ、大変喜ばしい出来事でありました。

かつて小売店として戦車模型を世界で一番多く販売したことに始まり、多くの実車取材やイベントにも関わることができ、『ワールドタンクミュージアム』が多くの人に受け入れられたことは戦車模型の神様に感謝しています。それ以降もいろいろなかたちで戦車のミニチュアを発売しましたが、『ワールドタンクミュージアム』ほどの発信はできておらず、また何かミリタリーモデルで大きな出来事を起こしたいと考えております。

いまもアニメ『ガールズ＆パンツァー』の大ヒットにより新たな戦車ファン層も広がっていると思いますが、これもささやかながら『ワールドタンクミュージアム』の影響があるのかもなぁ、と小さく思っております。■

（株式会社 海洋堂、取締役専務・宮脇修一）

模型雑誌での加熱と延焼効果

前記の宮脇センムの言のとおり、WTMをソフトウェア面で支援しつつ最新情報を提供していたのは模型雑誌『モデルグラフィックス』とその編集会社だった。同誌編集長にとって〝WTM現象〟とはいかなるものだったのか？

2

『モデルグラフィックス』では３回の総力特集と情報記事連載をWTM発売時より展開。
1特集第１弾は2002年９月号。
2特集第２弾は2003年３月号。
3特集第３弾は2003年９月号。各特集では製品の魅力の掘り下げと製品を使った情景模型の作例掲載、宮脇センムのインタビューなど充実したものだった。
これ以外にも食玩特集（2004年１月号）、WTMに触発され増殖した1/144戦車模型特集（2004年８月号）が各一回、組まれており、当然WTMにも言及された。

1

3

4

7

5

6

4モデグラでの誌上通販商品。右は2002年９月号版で土居雅博氏による迷彩ティーガーII型とM４、IV号、エレファント、88mm砲のキット版、ファモちゃんボトルキャップ入り。左は2003年３月号版で土居氏の迷彩版パンターＧ型、ティーガーII、III突、ＪＳ-２のキット版、ボトルキャップにＴシャツ（47頁写真11）入り。手前は同誌付録のパンターＧ型のキット版。
56モデグラでの連載をまとめたモリナガさんの『35分の１スケールの迷宮物語』通販限定仕様と、付属の［目玉ヘッツァー］（小社刊、2003年６月発売）。塗装見本はもちろんモリナガさんご本人。返本なしで約１万冊が売れてしまうという事態に関係者一同喫驚（翌年には書店流通版も刊行）。
72005年には『ワールドタンクミュージアム図鑑』も通販限定仕様で販売（小社刊）。ヴィルベルヴィント、M4、パンターＧ型のキット版が付属。こののち刊行の書店流通版は2020年までに11刷という大ロングセラーとなった。

《谷 明の作家性》に着目——製品協力と誌面展開の二正面作戦

じつは月刊『モデルグラフィックス』というのは模型業界随一の超ド保守な雑誌なんで、宮脇センムからＷＴＭへの協力の依頼があったときはものすごく悩みました。ずば抜けてよくできたミニチュア戦車だとはいえ、やはり食玩は「自分で手を動かして作る模型」ではないので。

結局は宮脇センムの情熱に押し切られるかたちでＷＴＭに協力することを決断したのですが、その決断に至る大きな要因のひとつは、やはり谷 明氏の〝作家性〟ですね。1/144のスケールモデルであるはずの手のひらサイズの戦車模型から、谷くんの作家性がむんむんと匂ってきていましたから。ことあるごとに言って（自慢して）ますけど、モデグラが「なんかスゴい人がいる！」と谷くんを発見したの、海洋堂さんよりも早いんですよ。

そうやって悩みはしたものの、いったん協力すると決断してしまえば、アクセル全開ノーブレーキで突っ走るのもモデグラの特徴で、月々の連載記事のみならず、50ページ超の巻頭特集をやること数度。しかも協力体制はモデグラ１誌に留まらず、姉妹誌月刊『アーマーモデリング』も巻き込んで、ＷＴＭの製品パッケージやモリナガ・ヨウさんの解説イラスト、量産用彩色見本の製作など、ＷＴＭのソフトウェア面はほぼウチが担っておりました。

あれから20年、食玩ブームは遠い昔のものになり、残念ながら1/144スケールの戦車も1/35に並び立つようなスタンダードスケールにはなりませんでした。が、広く世の中に「ミニチュアには〝良いもの（と悪いもの）〟がある」と知らしめるようになったし、出来が良いもの＝価値があるものいう認識が一般的なものになったことは、ＷＴＭを含む食玩ブームの功績だと言っていいでしょう。

あと……モリナガ・ヨウさんのＷＴＭ解説イラストを集めた『ワールドタンクミュージアム図鑑』が、あの『ガールズ＆パンツァー』のアニメ制作現場でよく見られていたと聞いたときはちょっとうれしかったですね。20年前のＷＴＭ関係の仕事がこうやって繋がって、違ったかたちで再び世の中に送り出されることになったというのは、感慨深いものがありました。■

（『モデルグラフィックス』編集長・古屋智康）

■77：Tiger I (Early Production) Afrika Scheme
■78：Tiger I (Early Production) Mono-color Scheme
■79：Tiger I (Early Production) Winter camouflage
■80：Porsch Tiger (Prototype) 3-Colors Scheme
■81：Porsch Tiger (Prototype) Mono-color Scheme
■82：Porsch Tiger (Prototype) 2-Colors Scheme
■83：Tiger II (Porsche Turret) Mono-color Scheme
■84：Tiger II (Porsche Turret) 3-Colors Scheme
■85：Tiger II (Porsche Turret) Winter camouflage
■86：Tiger II (Porsche Turret) 2-Colors Scheme
■87：Jagdtiger (Henschel Type) Mono-color Scheme
■88：Jagdtiger (Henschel Type) 3-Colors Scheme
■89：Jagdtiger (Henschel Type) Winter camouflage
■90：Sd.Kfz.251 Ausf.D 3-colors Scheme (Dark yellow)
■91：Sd.Kfz.251 Ausf.D 3-colors Scheme (Dark green)
■92：Sd.Kfz.251 Ausf.D Winter camouflage
■93：M3 Half Track Mono-color Scheme
■94：M3 Half Track 2-Colors Scheme
■95：M3 Half Track Sand Scheme
■96：JSU-152 Mono-color Scheme
■97：JSU-152 3-colors Scheme
■98：JSU-152 Winter camouflage
■SECRET ITEM：Michael Wittmann

PANZERTALES WORLD TANK ワールド タンク ミュージアム MUSEUM Series 05

SECRET
90
91
92
93
94
95
80
83
87
96
77
81
84
88
97
78
82
85
89
79
86
98

ワールドタンクミュージアム・シリーズ 05

PANZERTALES
WORLD TANK
ワールド タンク ミュージアム
MUSEUM
Series 05
TAKARA

第４弾の陸自篇から打って変わり、ティーガーづくしの第５弾。成形技術の向上により再現度が上がったことから、初期に登場したティーガー系列の原型は新たに作りおこされている。

WORLD TANK
重戦車大隊の編成
第二次大戦中、最強の戦車と言われたドイツ陸軍のティーガー重戦車は、一般の戦車師団ではなく、独立重戦車大隊に編成され軍司令部の判断で必要に応じ任務を与えられた。当初、ティーガー戦車の数が足りなかったため、最初の重戦車大隊はティーガー重戦車とIII号戦車の混成であったが、1943年の中盤からは1個大隊ティーガー重戦車45両という正規の編成となった。例えば第502重戦車大隊(1943年5月)の場合は、1個大隊は本部小隊と3個中隊からなり、本部小隊(砲塔番号I～III)3両、第1中隊の指揮小隊(100,101)2両、第1小隊(111～114)4両、第2小隊(121～114)4両、第3小隊(131～134)4両で1個中隊は14両からなる。以下、第2、第3中隊も同じ編成で、砲塔番号の最初の一桁が中隊を表し、二桁目は小隊、三桁目は車両番号を表していた。例えば砲塔番号が323だとすれば、同車は第3中隊、第2小隊の3号車ということになる。また各中隊の中隊長車は100、200、300などの砲塔番号を使っていた。しかし、この砲塔番号の表記には例外もあり、すべてのティーガー部隊に共通ではなかった。
323

台紙表面は世界でもっとも良好な状態で保存されているイギリス・ボーヴィントン戦車博物館のティーガーⅠ。裏面ではドイツ軍の重戦車大隊の編制を解説している。

■77：ティーガーⅠ初期型重戦車・アフリカ迷彩
■78：ティーガーⅠ初期型重戦車・単色迷彩
■79：ティーガーⅠ初期型重戦車・冬季迷彩
■80：ポルシェティーガー（プロトタイプ）・３色迷彩
■81：ポルシェティーガー（プロトタイプ）・単色迷彩
■82：ポルシェティーガー（プロトタイプ）・２色迷彩
■83：ティーガーⅡ重戦車（ポルシェターレット）・単色迷彩
■84：ティーガーⅡ重戦車（ポルシェターレット）・３色迷彩
■85：ティーガーⅡ重戦車（ポルシェターレット）・冬季迷彩
■86：ティーガーⅡ重戦車（ポルシェターレット）・２色迷彩
■87：ヤクトティーガー（ヘンシェルタイプ）・単色迷彩
■88：ヤクトティーガー（ヘンシェルタイプ）・３色迷彩
■89：ヤクトティーガー（ヘンシェルタイプ）・冬季迷彩
■90：Sd.Kfz.251 Dハーフトラック・３色迷彩イエローベース
■91：Sd.Kfz.251 Dハーフトラック・３色迷彩グリーンベース
■92：Sd.Kfz.251 Dハーフトラック・冬季迷彩
■93：M3ハーフトラック・単色迷彩
■94：M3ハーフトラック・２色迷彩
■95：M3ハーフトラック・サンド迷彩
■96：JSU-152重突撃砲・単色迷彩
■97：JSU-152重突撃砲・３色迷彩
■98：JSU-152重突撃砲・冬季迷彩
■シークレットアイテム：ミヒャエル・ヴィットマン

■2003年12月発売（生産数180万個）
■造形企画制作／株式会社海洋堂
■原型制作／谷 明
■発売者／株式会社タカラ
■販売者／株式会社ドリームズ・カム・トゥルー
■BOXアート／横山 宏
■丸型ガム（コーラ味）入り、250円
第４弾の60式自走無反動砲からフィギュアが付属しているが、第５弾でもハーフトラックとJSU-152に付属。シークレットには二回目の登場となるティーガーエースのヴィットマンだが、彼とそのクルーを含めた５体がつく豪華仕様となっている。

◎第2次大戦のドイツ軍を代表するティーガー重戦車は、数々の伝説にいろどられている。
が、実はこのヘンシェル社タイプは、既存の重戦車から部品をかき集めて手早く開発された「やっつけ仕事」の産物だった。納期がタイトだったのである。
砲塔はもともとポルシェ社用のモノ。
極めてビミョーなバランスなのだ
車体は開発中の36t戦車を拡大した（ティーガーは57t。作っているうちに重くなった）。
※新規パーツは、エンジン、燃料タンク、冷却装置、潜水装置。
VK36.01
•初陣（テストみたいなもの）は、いきなりエンコ。全損車が出る…。
Ⓜ2003-
★特筆すべきはその撃たれ強さである。やられても乗員は脱出、あとで回収・修理して復活する。
有名なあるティーガーの例
76.2mm砲弾11発 45〜57mm対戦車砲弾14発
14.5mm対戦車銃弾227発
地雷3コ踏む。それでも戻ってきた。
ティーガー乗りならだれでも片側の履帯を残した姿で牽引され帰ってくる経験をしてるはずだ。
ティーガーエースのオットー・カリウス
だれでも？
すぐ動かなくなるが、直してまた使う。どうもそういうモノだったようだ。作戦時は、回収係の予備ティーガーを残しておくのが理想である。
○整備は大変である。57tもの重量を支える足まわりは重なりあった大転輪。いちばん奥のを外すのに何枚とればいいんだろう。
2枚
とりつけネジ6コ。現場で不評だった。
くはあ〜
修理中の写真から。番号が書いてある。
いっぱいあるからドイツ兵もわかんなくなっちゃう。
★この複合転輪、泥などがつまりやすい。
第1転輪の外側のを一枚外しているのがよく見られる。キットはこのタイプ。

Tiger I（Early Production）

ティーガー I 型重戦車 初期型（ドイツ・1942-45年）

■７頁のティーガーⅠ型は数種の派生型の中で「後期型」に分類されるもので、主転輪のゴム部分を廃止してすべて鋼製のものに変更されました。この頁の車両は1942年から生産が始まった初期型で、ゴム縁転輪をはいているのが特徴です。★ティーガー初陣のイラストはグレイで描かれていますが、その後、黄土色に近い［トローペン］塗装であったことが判明しました。（モ）

【SPECIFICATION】

重量：57 t	装甲厚：25 〜 100㎜	速度：38㎞/h
全長：8,450㎜		乗員：５名
全幅：3,780㎜	兵装：8.8㎝砲×１門	生産台数：1,354両
全高：2,930㎜	機関銃×２挺	

Porsche Tiger（Prototype）

★有名なドイツのティーガー戦車には、コンペに負けた「ポルシェ型」というのがあった。これは天才科学者ポルシェ博士が開発した電気重戦車である。
フェルジナント・ポルシェ博士
スポーツカーや、フォルクスワーゲンで有名。
。当時の機械式変速機では大重量に耐えられないと考えた博士は、変速機のいらないモーターで走る戦車を設計したのだった。
並列モーター。プラモのリモコンと同じだ。
電気の量をかえればスピードもかわる！
発電用エンジン
これが2台入っている。
。おひろめは1942年4月20日、総統の誕生日である。
エンジンが届いたのは4月10日だっ!!
…. 大突貫工事でなんとか間に合わせることができた。
もともとこの砲塔はポルシェ型用に作られた。量産品よりひらべったく、排煙用の換気扇もない。
足まわりも博士の新作。
非常用ハッチはすぐ廃止。5人の乗員はすべて砲塔についている2つのハッチから出入りしなければならない。
で、マトモに走らなかった。
荷台の上でも必死の溶接作業
砲塔もモーターで回す。
ウドロロロロロ!!
下り坂で実験してみた。
コードが焼けるっ!
ゴゴ
かくてライバルのヘンシェル社型が勝利する。
。テストも通らないうちに作ってしまった90台分の車体は、自走砲エレファントに改造される。
ポルシェティーガーは1台だけ、このエレファントの部隊にいたらしい。
実戦仕様
……..
大電流にコードがもたず中止。砲塔は、下をむいちゃう。
も、もどっちゃう…
するするするるるる
よしわかった！205カ所の設計変更！
…ムリです

Porsche Tiger（Prototype）

ポルシェティーガー重戦車 試作型（ドイツ・1942-45年）

■ポルシェ博士の作った車両のほとんどは、車体後部にエンジン（しかも空冷）を置いた後輪駆動で、背中に排熱用スリットがあるのが特徴です。国民車フォルクスワーゲン、ポルシェ 356や911、そしてこのポルシェティーガーも後ろ姿が似ています。トーションバーサスペンションもお好きで、この車両にも転輪２個一組のボギーに縦置きの短いトーションバーが採用されています。

【SPECIFICATION】

重量：57 t	装甲厚：20 ～ 100㎜	速度：35㎞/h
全長：9,340㎜		乗員：５名
全幅：3,380㎜	兵装：8.8㎝砲×１門	生産台数：９両
全高：2,800㎜	機関銃×２挺	

Tiger II（Porsche Turret） 05

★ティーガーⅡは、ティーガーⅠがまだ作りかけの時から、「もっと強力な大砲を乗せよう！」と考えられた。はっきりした開発スケジュールがあったわけではなく、しかも競合する組織や企業の衝突の中で生まれていったのである。
←ティーガーⅠ
のはじめはラインメタル製の超8.8cm砲（FLak41）が予定されていた。
あとからクルップ製超8.8cm砲へ（Kwk43）
★この大砲を装備した重戦車の、ポルシェ博士案。
不屈の新作
電気戦車
。ポルシェ博士用砲塔だけは、クルップ社でどんどん出来あがる。
@エンジンで発電し、モーターで走る予定だったが、この車体がまるで完成しない。結局ポルシェ博士案はキャンセルになる。
作っちゃったんだからうけとってもらわんと困るっ
大砲が長いから、バランスをとるため砲塔もうしろに伸びる。
いかにも量産の難しそうな微妙なデザイン。
じゃあこの砲塔は、ヘンシェル社が開発中の車体にのせちゃおう、と。
砲塔の前部にタマが当ったら、車体の天井にとびこむじゃないか。
おひろめ 1943.12月
・完成してから言わないで欲しい→
ポルシェ博士は、彼の設計した戦車の性能が不充分であったため人望がありませんでした。
ヘンシェル社 総支配人（想像図）
'43,12月に戦車委員会議長に、ポルシェ博士から交代する。
★かくしてこの作りかけの砲塔の分を搭載したものを、ティーガーⅡ「ポルシェ砲塔」と呼ぶのであった。（はじめの50台）
パーツ流用。
あとは量産型になる
※現場ではポルシェ砲塔・ヘンシェル砲塔と特に区別してなかったようである。
むしろティーガーⅠと砲弾に互換性がなく、部隊内で混乱しました。
※ちなみにはじめに作られたティーガーⅡは、まるで走らず（4台）せまりくる敵と戦えずに、処分されたそうだ。
うわっでけえー
アメリカ兵
こんな話ばかりだ。

Tiger II（Porsche Turret）

ティーガーII型重戦車 ポルシェ砲塔（ドイツ・1944-45年）

■「ポルシェ砲塔」と呼ばれるこの砲塔、じつは71口径8.8㎝戦車砲用としてクルップ社が設計したものでした（おそらくポルシェ博士の意向が入っているでしょう）。それを載せるはずのポルシェ案のVK4502（P）が100両発注されたもののキャンセル、すでに完成済みの砲塔50基を、採用されたヘンシェル案のVK4503（H）の最初の50両に転用、という複雑な流れのようです。

【SPECIFICATION】

重量：68.5 t	装甲厚：25 ～ 150㎜	速度：42㎞/h
全長：10,300㎜		乗員：５名
全幅：3,760㎜	兵装：8.8㎝砲×１門	生産台数：47両
全高：3,080㎜	機関銃×２挺	

◎ヤークトティーガーは、第2次大戦末期にドイツ軍が
実用化した重駆逐戦車である。その巨体と
重装甲・重武装は悪夢的ですらある。
回転砲塔がないので、まるで密閉された装甲部屋だ
3キロ先の敵戦車を撃破する12.8cm砲。
ユラユラ
バカ長いので移動時にちゃんと固定しないと照準が狂ってしまう。
前面装甲25センチ。
にじゅうごセンチ?
・工場につり下げるクレーンがなく、なかなか量産に入れなかった（重量75t）。
カモフラージュしても、深いわだちをたどって敵機がやってきちゃう。
どうしよう…
砲弾
・長さ49.65cm
重さ28.3kg
12.8cm PzGr43
2人がかり。
薬筒
直径19.2cm
長さ87cm
重さ11kg
ぶ厚すぎる装甲と、巨大な砲・弾薬で内部はあんまり広くない。
12.8センチ砲弾は巨大すぎ、車内での取りまわしを考えて弾頭と火薬は分離式となった。
◦足まわり・エンジンにもうれつに無理させているのですぐ壊れる。
記録を見ると自爆処理のオンパレードです
限界を超えた労働をさせられるエンジン
壊れてエンコすると回収機材がないから、みんな処分されてしまうのです。
兵隊も訓練不足だ。
何のために作ったのかわからん…
★ある町の交差点で撃破されたヤークトティーガーは、戦争が終了してもそのままだった。終戦の翌年、米軍が移動させようとしたがクレーンの方が壊れた。
すげえジャマ…
※2年後バーナーで細かく切って処分。

Jagdtiger（Henschel Type）

ヤークトティーガー重駆逐戦車 ヘンシェル型（ドイツ・1944-45年）

■最大装甲厚25㎝、主砲口径12.8㎝というヤークトティーガー。カタログ上のデータだけをみると、おそらく第二次世界大戦で最強の戦車ということになります。ちなみにティーガー戦車のエース、オットー・カリウスさんは終戦直前にこの車両の車長でしたが、砲身固定具を外に出てはずすのが本当にイヤだったと回想されています。

【SPECIFICATION】

重量：70 t	装甲厚：40 ～ 250㎜	速度：41.5㎞/h
全長：10,654㎜		乗員：６名
全幅：3,625㎜	兵装：12.8㎝対戦車砲×１門	生産台数：約80両
全高：2,945㎜	機関銃×１挺	

©装甲兵員輸送車は、戦車部隊の進撃速度に合わせて兵士を運ぶ車輌である。
それなりの防御力と機動力が必要だ。
第1次大戦では、戦車は歩兵の速度に合わせた。
「戦場の女王」は歩兵であり、戦車は「歩兵の女中」と言われる。
新戦術の発明により立場が逆転した。Sdkfz 251（ゾンダークラフトフアールツオイグ・特殊用途車輌・251番）は、電撃戦を代表するものの一つである。
※「ハノマーク」は、メーカーの名前です。
とはいえ1940年のフランス戦では、歩兵の1割くらいしか使えなかった。あとは歩き。
◎このSdkfz 251は、3tハーフトラックを装甲化したものである。
half-track（半分・履帯）は全装軌車より安く作れ、しかも車輪だけのクルマより悪路走行力が高かった。
★が、ドイツ軍のは、凝りすぎである。
手間ヒマかけすぎの履帯。
グリスアップが定期的に必要。
12人のり。かなりせまい。
なれです
装甲板にあわせてハンドルが下向き。
フクザツな足まわり。ハンドルを大きくきると、左右の履帯のスピードがかわり、曲がりやすい。
生産も整備も大変だった。キットのD型は、少し我に返って、生産性を上げたタイプである。
凝《こ》りすぎだっ!!
兵士が外に出やすいようにオープン・トップに。
←いままでの複雑な面とり。
だいぶシンプルに。
・戦車は戦争が進むにつれ重装甲化していったが、Sdkfz 251は元のママだった。ムキ出しよりはマシだったのかな…。
トボ
トボ
なかなか良くできていたので、各部隊に引っぱりだこでした。だから終戦まで全歩兵に行きわたることはありませんでした…。

Sd.Kfz.251 Ausf.D

Sd.Kfz.251／D型 装甲ハーフトラック（ドイツ・1943-45年）

■ハーフトラック帝国ドイツ。ケッテンクラートからはじまって1t、3t、5t、8t、12t、18tなど拡大コピーのようにほぼ同じ形で大型化していきました。で、これらの操向システムは前輪は駆動せず、カーブ時にはハンドルの切れ角に応じて操向用ブレーキを作用させ、左右の履帯の回転数を調整して曲がるという、戦車と同様のこだわりすぎの構造になっていました。（56頁につづく）

【SPECIFICATION】

重量：8 t
全長：5,980㎜
全幅：2,100㎜
全高：1,750㎜
装甲厚：6～14.5㎜
兵装：機関銃×２挺
速度：53㎞/h
乗員：12名
生産台数：10,602両

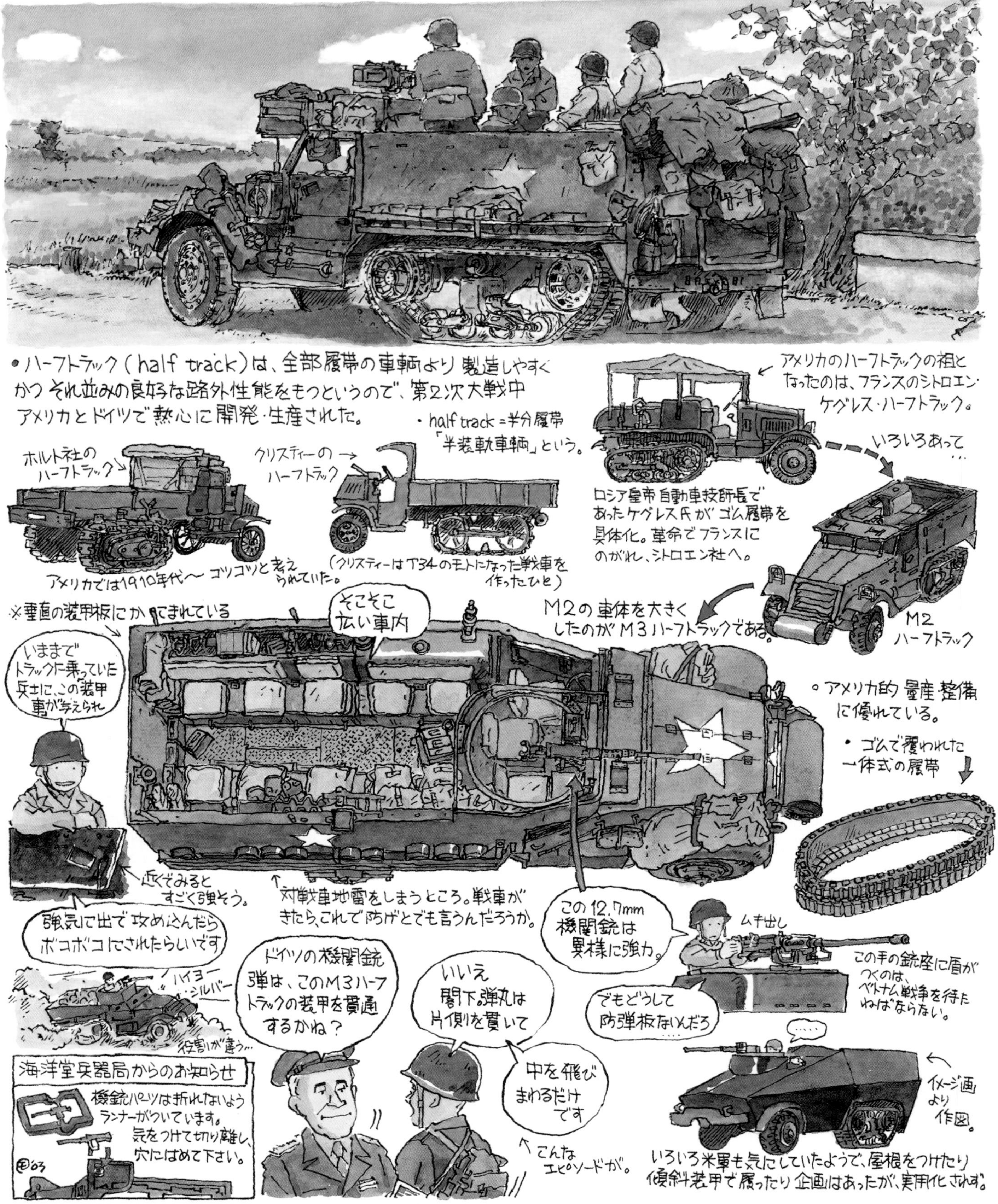

・ハーフトラック（half track）は、全部履帯の車輌より製造しやすく かつそれ並みの良好な路外性能をもつというので、第2次大戦中 アメリカとドイツで熱心に開発・生産された。
・half track＝半分履帯 「半装軌車輌」という。
ホルト社の ハーフトラック
アメリカでは1910年代〜 ゴツゴツと考えられていた。
クリスティーの ハーフトラック
（クリスティーはT34のモトになった戦車を作ったひと）
アメリカのハーフトラックの祖となったのは、フランスのシトロエン・ケグレス・ハーフトラック。
ロシア皇帝自動車技師長であったケグレス氏がゴム履帯を具体化。革命でフランスにのがれ、シトロエン社へ。
いろいろあって…
M2 ハーフトラック
M2の車体を大きくしたのがM3ハーフトラックである。
※垂直の装甲板にかこまれている
そこそこ広い車内
いままでトラックに乗っていた兵士に、この装甲車が与えられ
近くでみるとすごく強そう。
強気に出で攻め込んだらボコボコにされたらしいです
ハイヨー シルバー
役割が違う…
対戦車地雷をしまうところ。戦車がきたら、これで防げとでも言うんだろうか。
この12.7mm 機関銃は異様に強力。
ムキ出し
この手の銃座に盾がつくのは、ベトナム戦争を待たねばならない。
でもどうして防弾板ないんだろ
・アメリカ的 量産・整備に優れている。
・ゴムで覆われた一体式の履帯
ドイツの機関銃弾は、このM3ハーフトラックの装甲を貫通するかね？
いいえ 閣下。弾丸は片側を貫いて
中を飛びまわるだけです
こんなエピソードが。
……
イメージ画より作図。
いろいろ米軍も気にしていたようで、屋根をつけたり傾斜装甲で覆ったり企画はあったが、実用化されず。
海洋堂兵器局からのお知らせ
機銃パーツは折れないようランナーがついています。 気をつけて切り離し、穴にはめて下さい。

M3 Half track

M3装甲ハーフトラック（アメリカ・1943-45年）

■一方、トラック王国アメリカでは、ハーフトラックは基本的に四輪駆動トラックの後輪を履帯に変えただけ。ですから、カーブ時は前輪駆動のステアリングと後輪のデファレンシャルで強引に曲がるのでした。ちなみにドイツのマウルティーアという二輪駆動トラック改造のハーフトラックがありましたが、前輪操舵と左右２本のブレーキレバーで履帯の速度を変えて曲がっていたのです。

【SPECIFICATION】

重量：9.3 t	装甲厚：6.4 〜 12.7㎜	乗員：13名
全長：6,370㎜		生産台数：2,862両
全幅：2,220㎜	兵装：機関銃×２挺	
全高：2,690㎜	速度：64㎞/h	

◎JSU152は、JS-2スターリン戦車に
砲塔のかわりに固定戦闘室にして、
152ミリ砲をつけた自走砲である。
JS-2
生産遅れる。
巨大な152ミリ
砲。戦車に載
せた砲としては
最大級である。
巨大な防盾で
ほとんど前が
見えない。
……これを密閉空間で
ぶっぱなすのか……。
弾頭は50キロ近く
あります。これをぶつ
けるのだッ
発射速度
遅くて
あたり前だ。
接近戦は
不得意。
。なぜかここに燃料タンクが。
天井から
給油。
車体下部に撃ち殻薬きょう
捨て(給弾も使う)がある。
さすがにジャマだったのだ。
・弾頭・薬きょうともに巨大で、
全部で20発しか積めない。
ファシストの虎(ティーガー)や
豹(パンター)を撃破するので
「猛獣殺し」と呼ばれました。
横のデカイ穴は
脱出ハッチが
外れた跡です
※確かに当るとすさまじい
破壊力だったが、対戦車戦闘より
トーチカなどの破壊のほうで活躍した。
・21輌の部隊で2時間弱の
大砲撃をしたが、砲弾の補給
を交代でしながらやった。1台につき
40分くらいかかったそうだ。

JSU-152

JSU-152重突撃砲(ソビエト連邦・1944-45年)

■主砲の口径だけをみると、54頁のヤークトティーガーよりも強いことになるJSU-152、ヤークトティーガーと同様に狙われたら怖い相手ですがその運用には苦労が伴いました。平面で構成されスマートさが残るヤークトティーガーに対し、JSU-152はその鋳造製の防盾がまるで鬼の面のようで、凶暴さが際立っています。

【SPECIFICATION】

重量:46 t	装甲厚:60 ~ 90㎜	速度:37㎞/h
全長:9,180㎜		乗員:5名
全幅:3,070㎜	兵装:152㎜加農榴弾砲×1門	
全高:2,480㎜	機関銃×1挺	

シークレットアイテム
ヴィットマンティーガースペシャルマーキング
え・文/モリナガ・ヨウ
◎昔の「タイガー戦車」のプラモデルには、必ずこの派手なマーキングが入っていた。とにかくこれを貼らないと始まらなかったのであった。
※最近でもタミヤの「初期型」に、ちゃんと入っていました。
アップにするとこんな感じ。
★で、これは何のマークだというと、ティーガー戦車のエース、ミヒャエル・ヴィットマンが騎士十字章という勲章を授与された時のモノである。全部で88台の敵戦車を撃破したことを表している。……細線は8本で、あと2台倒すとケタが繰りあがり。だが書き直すとは思えないので、たぶん撮影用？
キットはこの時の様子が再現できる。カメラマンの求めに応じ、いろんなポーズのモノが何枚も残っている。(1944.1)
戦車は簡単だ。だがPAK(対戦車砲)はBAMと来てはじめてわかる。
ヴィットマン
冷静で勇気があり気づかいも細やか。真面目で…など。記録ではこんなのばかり。
子供の時はお父さんの狩りを手伝ったとか。
英雄を作り出すために、申告内容を確認しないで手当り次第にもち上げたんだ。
イギリスの歴史家。
・た、たしかにそういう一面も否定できんが、実際スゴイ人だったらしいし。
ヴィットマン、デビューする。
1941.7.
むむむむ、ソ連の戦車が17台もいる!!
よし、行くぞ前進!!
ヴィットマンはたった1台の突撃砲で立ちむかった。
走りまわって何台もいるように見せるんだ!
ボカ
ギュルル
で、一瞬で敵のT-26戦車を7輌撃破したのであった。これが彼の名前が世に出るキッカケだったとかなんとか..
たいした手柄だ! ほうびは何がいい？
それより負傷したソ連兵を早く助けてやらないと
伝説だから。
それでは私の部下を紹介しよう!
最近の洋書で、この記念撮影時の、ヴィットマンクルーの人となりが!! 解説されている。歴史のナゾがまたひとつあきらかに!
・砲手のヴォル。ヴィットマンとともに、騎士十字章をもらう。前は電気技師だった。いつも冷静で用心深かった。
・装てん手のベルガー。物静かな若者。優秀な装てん手だった。
・操縦手のキュルシェナー。長年戦車の運転をしていた。すぐれた操縦手で、整備もマメ。
・無線手のポールマン。仕事をまことにうまくこなす。機関銃の技術もたいしたものだ。
…ま、優秀なメンバーが集まってて良かったやないか… プ、プロパガンダ…??
優秀な装てん手ってどーゆーことじゃ？
てゆーか全員ほめすぎ…
※キャスティングは、まあ冗談デス。
Ⓜ'03

Michael Wittmann

ミヒャエル・ヴィットマン（ドイツ・1914-1944年）

■33頁のオットー・スコルツェニーや、Ju87でソ連軍戦車を500両以上も狩りまくったハンス＝ウルリヒ・ルーデルのような、なにかに取り憑かれたような戦いぶりでも生き残る兵がいるかと思えば、ヴィットマンのようにあっけなく戦死するエースもいます。戦場での生死をわけるものとは兵器の性能だけではないことが、彼の戦歴から伝わってきます。1914年生まれ、享年30歳。

【PROFILE】 1914年４月22日、バイエルン州オーバープファルツ生まれ。独ソ戦では突撃砲車長。1942年SS第１戦車連隊配属、ティーガーⅠ型を受領。ハリコフ、クルスク戦後にSS第101重戦車大隊配属、ノルマンディー戦線へ。1944年8月8日、カナダ軍のファイアフライに撃破され戦死。戦車撃破数138両。

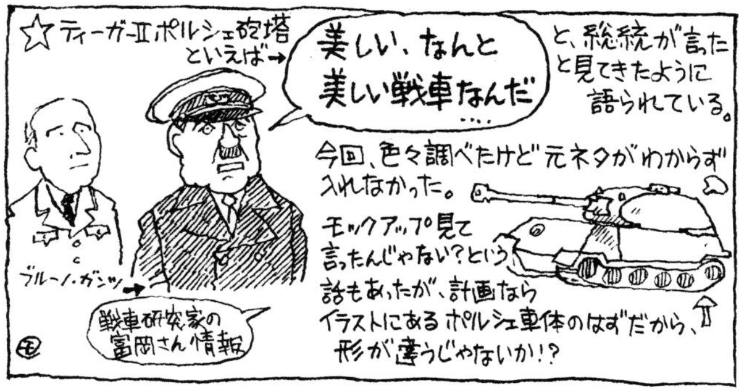
☆ティーガーⅡポルシェ砲塔といえば→
美しい、なんと美しい戦車なんだ……
と、総統が言ったと見てきたように語られている。
今回、色々調べたけど元ネタがわからず入れなかった。
モックアップ見て言ったんじゃない?という話もあったが、計画ならイラストにあるポルシェ車体のはずだから、形が違うじゃないか!?
ブルーノ・ガンツ→
戦車研究家の富岡さん情報

☆イラストの中で、「つり下げるクレーンがなくて量産に入れない」と書いた。このヤークトタイガーは、恐るべきことに「組んで」しまうとほぼワンパーツなのだ!
動かないならともかく「作れない」戦車でもあったのだ。
エレファントですら2分割」
ずしーん…

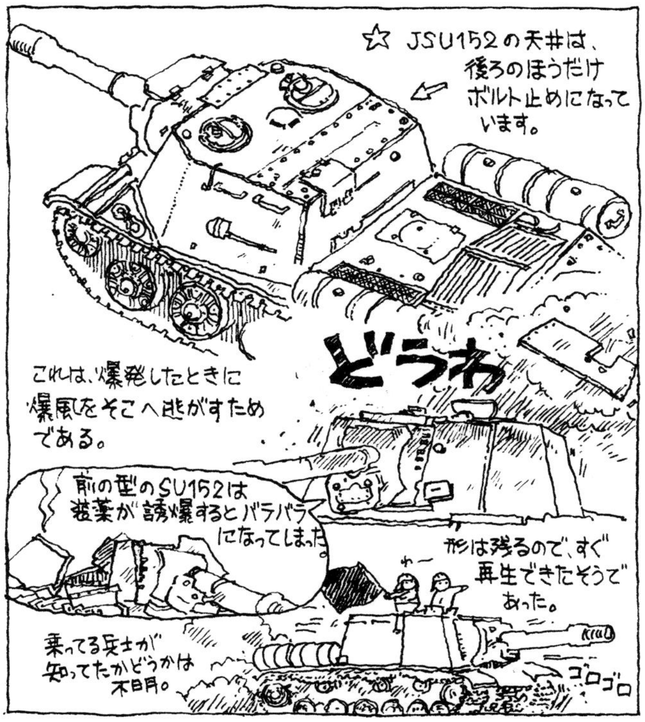
☆ JSU152の天井は、後ろのほうだけボルト止めになっています。
どうわ
これは、爆発したときに爆風をそこへ逃がすためである。
前の型のSU152は装薬が誘爆するとバラバラになってしまった
形は残るので、すぐ再生できたそうであった。
わ~
乗ってる兵士が知ってたかどうかは不明。
ゴロゴロ

注 この辺のシークレットアイテムに出てくるキャラクターは、海洋堂の人々の似顔絵を使った。完全な楽屋オチである。
ぞんざいな
ホビーロビーの いまだ店長。
名前が読みにくいのは本人の希望である。
谷さん
中国係村上さん
兵器局平のさん
ボーメさん
センムが「あれはヴィトマンみたいなんだ」で使ってしまった。感謝。
ビール
HLT

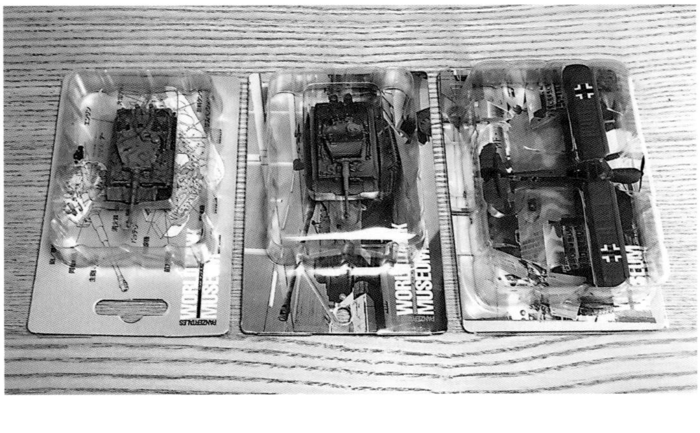

ブリスターと台紙の変遷。シリーズ01にはフックにかけられる横長の穴があったが、02からは単なる穴に。03からはブリスターの凸部が大きくなったため穴は廃止された。

- 99 : M1A2 ABRAMS NATO Scheme
- 100 : M1A2 ABRAMS NTC camouflage
- 101 : M1A2 ABRAMS Desert Scheme
- 102 : M1A1 plus ABRAMS Mono-color Scheme
- 103 : M1A1 plus ABRAMS NATO Scheme
- 104 : M1A1 plus ABRAMS Desert Scheme
- 105 : T-80U Russian service Scheme
- 106 : T-80U Russian Mono-color Scheme
- 107 : T-80U Desert Scheme
- 108 : LEOPARD 2 A6 Winter camouflage
- 109 : LEOPARD 2 A6 NATO Scheme
- 110 : LEOPARD 2 A4 Mono-color Scheme
- 111 : LEOPARD 2 A4 NATO Scheme
- 112 : Strv.122 Swedish service Scheme
- 113 : Strv.122 Winter camouflage
- 114 : MERKABA Mk.III (Baz) Desert Scheme
- 115 : MERKABA Mk.III (Baz) Light-green
- 116 : MERKABA Mk.III (Baz) Dark-green
- 117 : AH-1W SUPER COBRA USMC
- SECRET ITEM : BLACK EAGLE TANK 2-Colors Scheme
  BLACK EAGLE TANK Mono-Color Scheme

PANZERTALES WORLD TANK MUSEUM
ワールド タンク ミュージアム
Series 06

ワールドタンクミュージアム・シリーズ 06

第５弾ではいよいよ世界の現用戦車が登場。繊細なディテールをまとった車両たちは、原型師・谷氏の神業とも思える超絶技巧で完全再現され、驚異的な仕上がりをみせている。

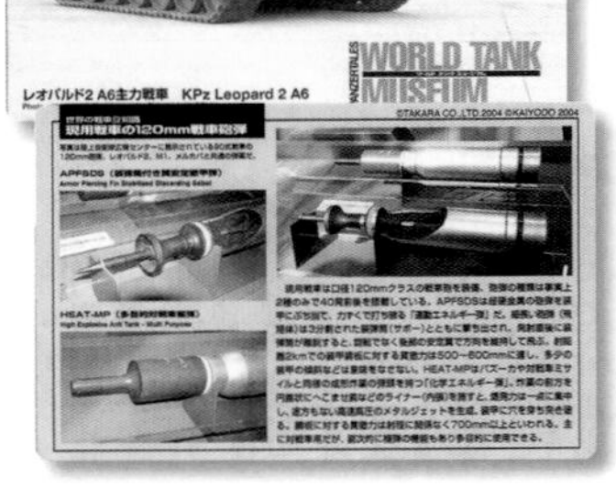

台紙表面はドイツで撮影されたレオパルド２ A6の勇姿。裏面は埼玉県朝霞の陸上自衛隊広報センターの展示物で戦車砲弾の仕組みを解説している。

■ 99：M1A2 エイブラムス・NATO迷彩
■100：M1A2 エイブラムス・アグレッサー
■101：M1A2 エイブラムス・デザート迷彩
■102：M1A1（プラス）エイブラムス・単色迷彩
■103：M1A1（プラス）エイブラムス・NATO迷彩
■104：M1A1（プラス）エイブラムス・デザート迷彩
■105：T-80U・ロシア軍３色迷彩
■106：T-80U・単色迷彩
■107：T-80U・デザート迷彩
■108：レオパルド２ A6・冬季迷彩
■109：レオパルド２ A6・NATO迷彩
■110：レオパルド２ A4・NATO迷彩
■111：レオパルド２ A4・単色迷彩
■112：Strv.122・スウェーデン軍３色迷彩
■113：Strv.122・冬季迷彩
■114：メルカバ Mk.Ⅲバズ・デザート迷彩
■115：メルカバ Mk.Ⅲバズ・ライトグリーン迷彩
■116：メルカバ Mk.Ⅲバズ・ダークグリーン迷彩
■117：AH-1W スーパーコブラ・海兵隊仕様
■シークレットアイテム：チョールヌイ・オリョール・２色迷彩
チョールヌイ・オリョール・単色迷彩

■2004年８月発売（生産数150万個）
■造形企画制作／株式会社海洋堂
■原型制作／谷 明
■発売者／株式会社タカラ
■販売者／株式会社ドリームズ・カム・トゥルー
■BOXアート／髙荷義之
■土嚢型ガム（青リンゴ味）入り、250円
■BOXアートはついに髙荷画伯が登場、現用戦車の躍動感が生々しく伝わる名画となった。ちなみにBOXアートとして発注されたが、『モデルグラフィックス』2004年８月号（「マイクロミリタリー大戦」勃発！　特集号）の表紙への掲載が先行した。

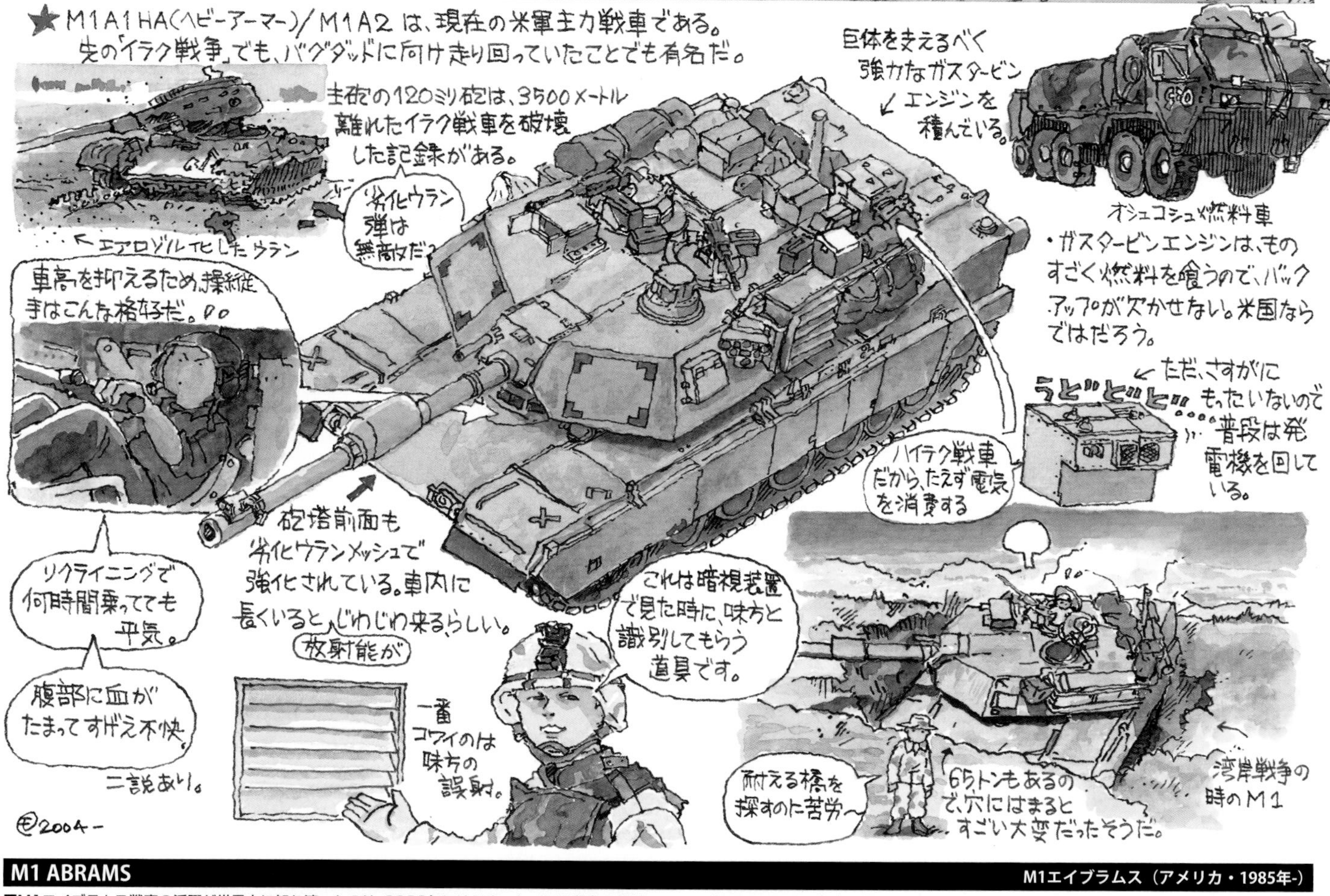
★M1A1HA(ヘビーアーマー)/M1A2は、現在の米軍主力戦車である。
先の「イラク戦争」でも、バグダッドに向け走り回っていたことでも有名だ。
主砲の120ミリ砲は、3500メートル離れたイラク戦車を破壊した記録がある。
劣化ウラン弾は無敵だっ
←エアロゾル化したウラン
車高を抑えるため、操縦手はこんな格好だ。
リクライニングで何時間乗ってても平気。
腹部に血がたまってすげえ不快。
二説あり。
砲塔前面も劣化ウランメッシュで強化されている。車内に長くいると、じわじわ来るらしい。
放射能が
これは暗視装置で見た時に、味方と識別してもらう道具です。
一番コワイのは味方の誤射。
巨体を支えるべく強力なガスタービン↙エンジンを積んでいる。
オシュコシュ燃料車
・ガスタービンエンジンは、ものすごく燃料を喰うので、バックアップが欠かせない。米国ならではだろう。
ハイテク戦車だから、たえず電気を消費する
うど”ど”ど”……
←ただ、さすがにもったいないので普段は発電機を回している。
耐える橋を探すのた苦労〜
65トンもあるので、穴にはまるとすごい大変だったそうだ。
湾岸戦争の時のM1
©2004-

M1 ABRAMS

M1エイブラムス（アメリカ・1985年-）

■M1エイブラムス戦車の活躍が世界中に知れ渡ったのは、2003年にはじまったイラク戦争の報道だったと思います。角ばった砲塔の複合装甲の防御力は極めて高く、通常の装甲板に換算すると60㎝以上になるというM1A1（HA）ですが、撃破された画像も多く、当たりどころによってはM1といえどやられてしまうのだと報道番組を観て震撼したものです。

【SPECIFICATION】

重量：63ｔ（A2）、57ｔ（A1プラス）	全高：2,885㎜	速度：67.59㎞/h
全長：9,830㎜	装甲：複合装甲	乗員：４名
全幅：3,658㎜	兵装：120㎜滑腔砲×１門、機関銃×3挺	

T-80U

・T80系列は現在のロシア主力戦車である。
1993年、モスクワで「大活躍」したことでも有名だ。
あと91年のクーデターの時も。
・世界初のガスタービンエンジンの戦車だが、恐ろしく燃料を喰う。
普段は増加タンクを外につけている。
★T80ははじめからこんな悪魔の城みたいな形ではなかった。防御用にべたべたくっつけてこうなったのだ。
初期。本体は小さい。
もう少し燃費のよいディーゼルエンジンに戻したタイプもある。
ミサイルが来たら撃退するミサイルつき
ミサイル
車内は砲弾と燃料タンクでいっぱいで、人のスペースはほとんどないっす
西側(当時)は、世界最強と恐れていたが、最近は微妙らしい。
それでも改造は続けられているのだった。
ミサイルを発見するレーダーつきのもの。自動で散弾の弾幕をつくる。
根本的に作り直せないのか？
チェチェンでは撃破された写真がいっぱいである。
これ
2004.
余談 ロシアのプロパガンダでは、なぜか戦車は飛ぶ。
第2次大戦前からの伝統？なのだった。

T-80U

T-80U（ロシア連邦・1985年-）

■「第３世代戦車」と呼ばれる戦車――M1（63頁）、レオパルト2（65頁）、90式（38頁）などは箱型の砲塔に複合装甲を装備し角ばっているのに対し、T-80Uは戦後のＴシリーズ同様、鋳造製のお椀を伏せたような形状の砲塔にブロック式の爆発反応装甲をつけているのが特徴です。74式戦車（42頁）も近代化改修をしたらT-80Uの姿に近くなっていたのかもしれません。

【SPECIFICATION】

重量：46 t	装甲：複合装甲	速度：70km/h
全長：9,660mm	武装：125mm滑腔砲×1	乗員：３名
全幅：3,603mm	機関銃×２	
全高：2,219mm	レフレクス対戦車誘導ミサイル・システム	

★レオパルト２主力戦車は、1978年のデビュー以来、生産のたびアップトゥーデートを続け、「ブランド」に恥じない実力を保ちつづけている。
。砲塔がデカいので、横に向けないとエンジンが見られない。増加装甲も可動式になっている。
そうしないとエンジンが点検できない
・車体の設計にはポルシェ社も参加している。
ポルシェ911
1100
115°
85°
120°
イスの角度がほとんど同じ。
1045
115°
80°
120°
レオパルト２
911
公道をよく走るのでサイドミラー標準装備
増加装甲の「ひしがたな出っぱり」は、敵弾を丈夫なところに集める働きがあるらしい。
将来、もっといい材質があったらとりかえられるようにボルトどめ。
ここの方がかっこいいでしょ？
こんなので操縦訓練をする。ものすごい数のミラーに、教習車を感じるなあ…
ダミー
どどど
主砲の120ミリ砲は異常に強力で、改良して伸ばしたら2km先の65センチ装甲を抜けるようになったとか…
輸出しないといけないし。
いつ使うんだろうか？
65cm
©2004-

LEOPARD 2

レオパルト2（西ドイツ／ドイツ連邦・1977年-）

■初代のレオパルト１は鋳造砲塔で74式（42頁）と似た姿、レオパルト２になるとA4では砲塔の垂直面が目立ち90式（38頁）にそっくりですが、A5以降はくさびのような鋭いシルエットに一変します。

【SPECIFICATION】

重量：60.2 t （A6）、55 t （A4）、62 t （Strv.122）
全長：11,270㎜（A6）、9,670㎜（A4）、9,970㎜（Strv.122）
全幅：3,740㎜（A6）、3,740㎜（A4）、3,740㎜（Strv.122）
全高：2,640㎜（A6）、2,480㎜（A4）、2,640㎜（Strv.122）

装甲：複合装甲
兵装：55口径120㎜滑腔砲×１（A6）
44口径120㎜滑腔砲×１（A4、Strv.122）
機関銃×２

速度：72㎞/h
乗員：４名

★メルカバはイスラエルが誇る、純国産主力戦車である。「メルカバ」というのは古代戦車を意味するヘブライ語である。
・MkⅢは、最近PLOの議会をとりかこんだ戦車（のはず）。
°イスラエルの戦車は実戦により進化しつづけている。増加装甲によりもとの形がわからなくなってしまった
細かいことは全部機密です
まわり全部敵だっ
°特徴的なのがフロントエンジンフロントドライブ。前から攻撃されても後部の乗員は助かる。
脱出ハッチは後ろにある。車内に怪我人を乗せることもできる。
イスラエルの戦車学校の教官は、女性が多いこと（若い）で有名です
120mm砲。米軍のM1と同じなので、有事の際はアメリカの空輸をあてにできる。
人口が少ないからかな…
若い男にいっぱい戦車兵になってもらわないと♥
天井に追撃砲がある。
めずらしい
わらわら集まってくる敵を一掃するためじゃんか
ところでこのメルカバMkⅢであるが全然対戦車戦闘に使っていない…
戦車兵ってのはマトになる運の悪いやつら…
こう思われているらしい。
バリバリ
2004.

MERKAVA Mk.III（Baz）

メルカバ Mk.IIIバズ（イスラエル・1990年-）

■74式以降の日本の主力戦車は世界の主流から若干はずれ、専守防衛を基本とした独自進化を遂げた感があります。その主たる点は油気圧サスペンションによる姿勢制御で、山地の多い国土での待ち伏せに特化しています。メルカバの車体構成もイスラエル独自のもので、度重なる市街戦によって常に進化しています。意外にも陸自での運用に適しているという評価もあるのです。

【SPECIFICATION】

重量：65 t	装甲：複合装甲	速度：60km/h
全長：9,040㎜	兵装：44口径120㎜滑腔砲×1	乗員：４名
全幅：3,720㎜	機関銃×３	
全高：2,660㎜	60㎜軽迫撃砲×１	

AH-1W SUPER COBRA USMC

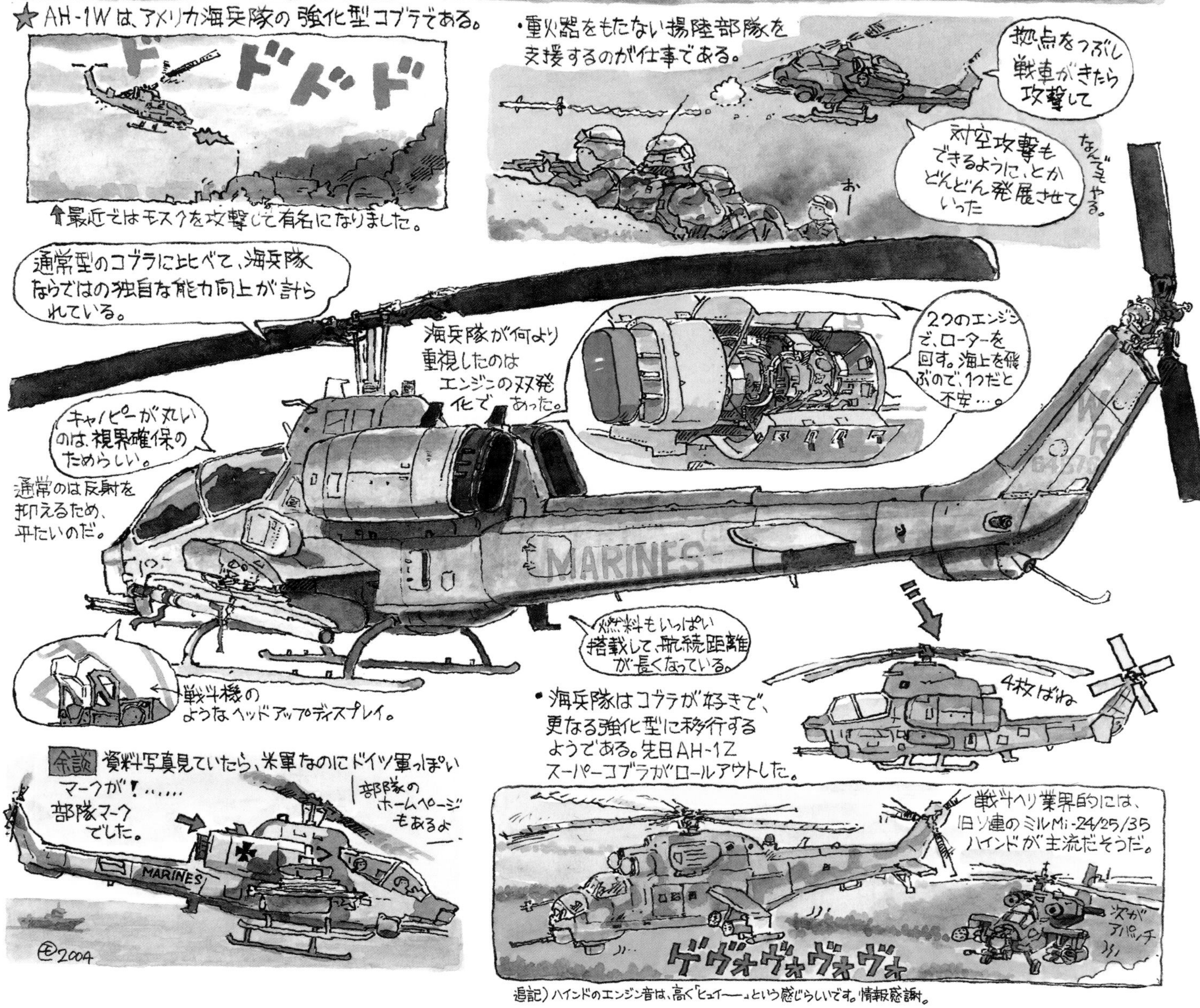

★AH-1Wは、アメリカ海兵隊の強化型コブラである。
ドドドド
↑最近ではモスクを攻撃して有名になりました。
・重火器をもたない揚陸部隊を支援するのが仕事である。
拠点をつぶし戦車がきたら攻撃して
対空攻撃もできるように、とかどんどん発展させていった
なんでもやる。
おー
通常型のコブラに比べて、海兵隊ならではの独自な能力向上が許られている。
海兵隊が何より重視したのはエンジンの双発化であった。
2つのエンジンで、ローターを回す。海上を飛ぶので、1つだと不安…。
キャノピーが丸いのは、視界確保のためらしい。
通常のは反射を抑えるため、平たいのだ。
MARINES
燃料もいっぱい搭載して、航続距離が長くなっている。
戦斗機のようなヘッドアップディスプレイ。
・海兵隊はコブラが好きで、更なる強化型に移行するようである。先日AH-1Zスーパーコブラがロールアウトした。
4枚ばね
余談 資料写真見ていたら、米軍なのにドイツ軍っぽいマークが!……
部隊マークでした。
部隊のホームページもあるよ
MARINES
Ⓜ2004
戦斗ヘリ業界的には、旧ソ連のミルMi-24/25/35ハインドが主流だそうだ。
次がアパッチ
ゲヴォヴォヴォヴォ

追記)ハインドのエンジン音は、高く「ヒュイー―」という感じらしいです。情報感謝。

AH-1W SUPER COBRA USMC

AH-1W スーパーコブラ 海兵隊仕様（アメリカ・1986年-）

■アメリカ海兵隊は最初、AH-1Sの前身であるAH-1Gヒューイコブラを運用しましたが、洋上での運用で単発では心許ないということでエンジンを双発化したAH-1Jシーコブラを採用、その進化型がAH-1Wスーパーコブラなのです。★右下の戦闘ヘリ・ハインドは、ソ連兵たちに「ワニ」と呼ばれていたそうです。生き物っぽいですね。（モ）

【SPECIFICATION】

全長：17,680㎜
（胴体：13,8700㎜）
全幅：3,280㎜
全高：4,110㎜
最大速度：350㎞/h
航続距離：587㎞
乗員：２名
兵装：20㎜機関砲×１
対戦車誘導弾TOW×４
ヘルファイアミサイル×８
（AIM-9Lサイドワインダーミサイル×１）

CHORNY ORIOL

★冷戦時代、ソ連はナゾだった。
戦車業界においてはT34以来
たえず世界に影響を与えつづけて
いたのである。
ワルシャワ条約機構とかさ…
・80年代の新型
ソ連戦車の
想像図。
・小出しに
発表される不鮮明
な写真。
「タス通信」とか….
・米国防省「ソ連の軍事力」
1983年度版で"T80として
明記された戦車。
のちにT-72の最終
タイプT-72M1
と分類…と
万事この
調子だった
㊟
M1A1
戦車大図解
(グリーンアロー
出版社)
ソ連の戦車は
世界最強と、いつも
思われていたので
ある。おそるべし
ソ連軍!
敵は強いほうが
予算がとりやすい
からなっ
M1A1
★さて… 今回のシークレットアイテムはその名に恥じないナゾ戦車、ブラック・イーグルである。
(チョールヌイ・オリョール/黒鷲)
1997年の国際兵器エキ
ビジョンでデビューした。
カバーを
かけている。
T80の後継
らしい…。
主砲が125ミリだとか140ミリだとか… '99年のデモンストレーションに出てきたときは、いきなり
転輪が1つ増えていたりナゾで
ある。
問題はロシア本国が、
制式採用してくれない
ことだっ
…その後あまり
ウワサは聞かない
そうです。
皮肉なことに、旧ソ連製
対戦車火器は、世界で"
大人気(?)であったりする
オマケ
資料少なくて…
何みて作りました?
この辺りの
ですよ。
ナゾ戦車の
原型は
どうやって
作ったのか?
…ほとんど
同じ資料でした。
←谷さん
Ⓜ2004.

CHORNY ORIOL

チョールヌイ・オリョール(ロシア連邦・1997年)

■ロシアの次世代主力戦車として1997年に発表されたチョールヌイ・オリョールは、T-80U(64頁)の発展型ともいえる試作車両でしたが、同時にT-95という無人砲塔搭載戦車の存在も公開されていました。しかし2015年、突如としてT-14という無人砲塔搭載戦車を公開、量産を開始しました。伝統的な鋳造砲塔を持つロシア戦車の系図はここで絶えることになったのです。

【SPECIFICATION】

重量:48 t	装甲:複合装甲	速度:72km/h
全長:10,000mm		乗員:3名
全幅:3,400mm	兵装:125mm滑腔砲×1	
全高:2,100mm	機関銃×2	

118：Pz.Kpfw. III Ausf.J (Late production) Winter camouflage
119：Pz.Kpfw. III Ausf.J (Late production) 2-Colors Scheme (Dark yellow)
120：Pz.Kpfw. III Ausf.J (Late production) 2-Colors Scheme (Dark gray)
121：Nashorn Winter camouflage
122：Nashorn Mono-color Scheme
123：Nashorn 2-Colors Scheme
124：Panther Ausf.D Mono-color Scheme
125：Panther Ausf.D 2-Colors Scheme
126：Panther Ausf.D 3-Colors Scheme
127：T-34/76 (Model 1942) Olive green
128：T-34/76 (Model 1942) Dark green
129：T-34/76 (Model 1942) 2-Colors Scheme
130：SU-122 Olive green
131：SU-122 Dark green
132：SU-122 2-Colors Scheme
133：Tiger I (Early Production) 3-Colors Scheme
134：Tiger I (Early Production) Mono-color Scheme
135：Tiger I (Early Production) 2-Colors Scheme
136：Anti tank guns Mono-color Scheme:1
7.5cm Pak40 (German army) Darkgray
76.2mm Division cannon ZIS-3(Russian army) Dark green
6 Pound gun (British army) Darkgreen
137：Anti tank guns Mono-color Scheme:2
7.5cm Pak40 (German army) Dark yellow
76.2mm Division cannon ZIS-3 (Russian army) Winter camouflage
6 Pound gun (British army) Desert Scheme
138：Anti tank guns Multi-color Scheme
7.5cm Pak40 (German army) 3-Colors Scheme
76.2mm Division cannon ZIS-3 (Russian army) 2-Colors Scheme
6 Pound gun (British army) 2-Colors
SECRET ITEM：Tiger I (Medium Production) Otto Carius

PANZERTALES WORLD TANK MUSEUM
ワールド タンク ミュージアム
Series 07

ワールドタンクミュージアム・シリーズ 07

第１弾の発売からはや四年目の冬になり、落ち着きをみせつつあったWTM戦線だが、宮脇センムは第７弾からはテーマを絞った戦略に転換。守りにはいる初動は1943年のクルスクの戦いからとなった。

第７弾の台紙は、それまでの一種類共通のパターンを大幅に変更し四種類に増加された。裏面ではドイツ軍とソ連軍の戦車のサスペンションの違いを解説。図解は上田画伯によるもの。

■118：Ⅲ号戦車Ｊ型（後期型）・冬季迷彩
■119：Ⅲ号戦車Ｊ型（後期型）・２色迷彩（イエローベース）
■120：Ⅲ号戦車Ｊ型（後期型）・２色迷彩（グレーベース）
■121：ナースホルン対戦車自走砲・冬季迷彩
■122：ナースホルン対戦車自走砲・単色迷彩
■123：ナースホルン対戦車自走砲・２色迷彩
■124：パンター戦車Ｄ型・単色迷彩
■125：パンター戦車Ｄ型・２色迷彩
■126：パンター戦車Ｄ型・３色迷彩
■127：T-34/76戦車（1942年型）・単色迷彩（オリーブグリーン）
■128：T-34/76戦車（1942年型）・単色迷彩（ダークグリーン）
■129：T-34/76戦車（1942年型）・２色迷彩
■130：SU-122突撃砲・単色迷彩（オリーブグリーン）
■131：SU-122突撃砲・単色迷彩（ダークグリーン）
■132：SU-122突撃砲・２色迷彩
■133：ティーガー戦車Ⅰ型（初期型）・３色迷彩（SS第１戦車連隊／第13中隊1331号車）
■134：ティーガー戦車Ⅰ型（初期型）・単色迷彩（第503重戦車大隊／第３中隊332号車）
■135：ティーガー戦車Ⅰ型（初期型）・２色迷彩（SS第２戦車連隊／第８中隊Ｓ33号車）
■136：対戦車砲セット・単色迷彩：１
75㎜対戦車砲Pak40（ドイツ）・ダークグレー
76.2㎜野砲ZIS-3（ロシア）・ダークグリーン
６ポンド砲（イギリス）・ダークグリーン
■137：対戦車砲セット・単色迷彩：２
75㎜対戦車砲Pak40（ドイツ）・ダークイエロー
76.2㎜野砲ZIS-3（ロシア）・冬季迷彩
６ポンド砲（イギリス）・砂漠迷彩
■138：対戦車砲セット・多色迷彩
75㎜対戦車砲Pak40（ドイツ）・３色迷彩
76.2㎜野砲ZIS-3（ロシア）・２色迷彩
６ポンド砲（イギリス）・２色迷彩
■シークレットアイテム：ティーガー戦車Ⅰ型（中期型）
第502重戦車大隊／第２中隊217号車（オットー・カリウス）

■2005年３月発売（生産数120万個）
■造形企画制作／株式会社海洋堂
■原型制作／谷 明
■販売者／株式会社タカラ
■BOXアート／小林源文
■土嚢型ガム（グレープ味）入り、250円
■発売四年目の安定期といえど100万個以上を生産するWTM、宮脇センムは路線転換をジョークまじりに「そろそろ撤退戦や！」と表現。しかしいきなりベルリンまで下がらないのがセンム流だ。

Pz.Kpfw.III Ausf.J (Late Production) 07

★III号戦車はドイツ軍の主力戦車として開発された。電撃戦の主役になるはずだった。
独ソ不可侵条約記念に、ソ連にプレゼント
よくできた玩具だよこれは。
もっと強力なの隠しているに違いない!
なかった
・が、生産が進まず、活躍のタイミングをのがしてしまう。
・支援戦車として作られたIV号戦車は、大きかったので武装などの強化ができた
大きな兄弟
3人砲塔は全く新しい発明だったのだ
・無線機標準装備。
装てん手は歩きまわるが。
・イスに座ったまま回転する。
重戦車部隊に?
力違いすぎ。
生産が軌道にのるころは、いきなり旧式化してしまう。でも数があるので戦車部隊の数あわせに使われる。
★ソ連戦車相手には、全くの力不足の装甲と武装。戦術でなんとか張り合う。
操縦手はここから出入り。ハッチ開けると足が
側面の脱出ハッチは小さく、出入りは大変。
設計はダイムラーベンツ。ベンツです!
★とはいえ、クルスク戦のドイツ戦車の中では、各型合わせると一番多い。やはり主力戦車だったのである。
その後「III号7台分の手間で6台作れる」と言われたパンターに「主力」の座をゆずる
似てるよね
次期主力
J型長砲身
7.5cm砲短砲身
新兵器火炎放射タイプ
指揮車
生産ラインにわりこましてもらえない
敗戦時の写真でも山のように接収されている。
'04

Pz.Kpfw.III Ausf.J (Late Production)

III号戦車J型 後期型（ドイツ・1942-45年）

■I号、II号、IV号戦車などと違って、III号戦車の足もとにはバネ式のサスペンションは見あたりません。これはドイツ軍が第二次大戦開戦前の段階で、III号を機動性の高い主力戦車として位置づけ、トーションバー（ねじり棒）サスペンションを採用したからです。これは金属棒のねじれと復元を利用したもので、ドイツ軍ではパンター、ティーガーなどにも採用されています。

【SPECIFICATION】

重量：21.5 t	装甲厚：10 ～ 50㎜	速度：40㎞/h
全長：6,280㎜		乗員：５名
全幅：2,950㎜	兵装：５㎝砲×１門	生産台数：1,067両
全高：2,500㎜	機関銃×２挺	

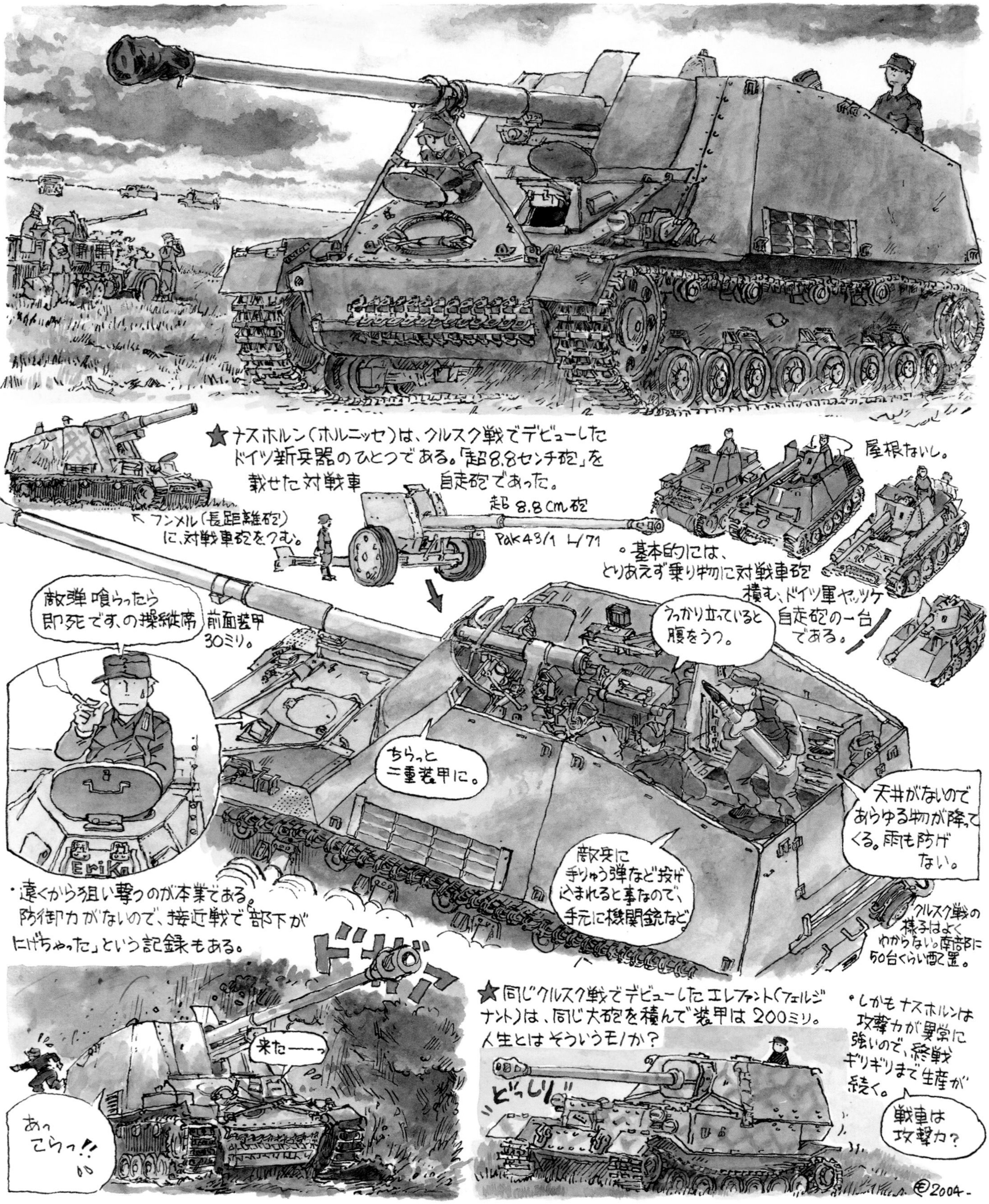
★ナスホルン(ホルニッセ)は、クルスク戦でデビューしたドイツ新兵器のひとつである。「超8.8センチ砲」を載せた対戦車自走砲であった。
↖フンメル(長距離砲)に、対戦車砲をつむ。
超8.8cm砲
Pak43/1 L/71
屋根なし。
・基本的には、とりあえず乗り物に対戦車砲積む、ドイツ軍ヤッケ自走砲の一台である。
敵弾喰らったら即死です、の操縦席
前面装甲30ミリ。
Erika
うっかり立っていると腹をうつ。
ちらっと二重装甲に。
天井がないのであらゆる物が降ってくる。雨も防げない。
敵兵に手りゅう弾など投げ込まれると事なので、手元に機関銃など。
・遠くから狙い撃つのが本業である。防御力がないので、接近戦で「部下がにげちゃった」という記録もある。
クルスク戦の様子はよくわからない。南部に50台くらい配置。
来た――っ
あっこらっ!!
★同じクルスク戦でデビューしたエレファント(フェルジナント)は、同じ大砲を積んで装甲は200ミリ。人生とはそういうモノか?
どっしり
・しかもナスホルンは攻撃力が異常に強いので、終戦ギリギリまで生産が続く。
戦車は攻撃力?
2004

Nashorn

ナースホルン対戦車自走砲(ドイツ・1943-45年)

■1941年のソ連侵攻でドイツ軍は戦車部隊に随伴する砲兵の必要に迫られ、15cm榴弾砲搭載の自走砲用にIII号とIV号の足周りを流用した新型車台を開発。これがフンメルになりましたが、8.8cm Pakも載せよという総統の命令で生まれたのがナースホルンです。エンジンと上下転輪&誘導輪をIV号から流用、起動輪がIII号用なのは変速機がIII号から流用されたからです。

【SPECIFICATION】

重量:24 t	装甲厚:10 ~ 30mm	速度:42km/h
全長:8,440mm		乗員:5名
全幅:2,950mm	兵装:8.8cm対戦車砲×1門	生産台数:494両
全高:2,940mm	機関銃×1挺	

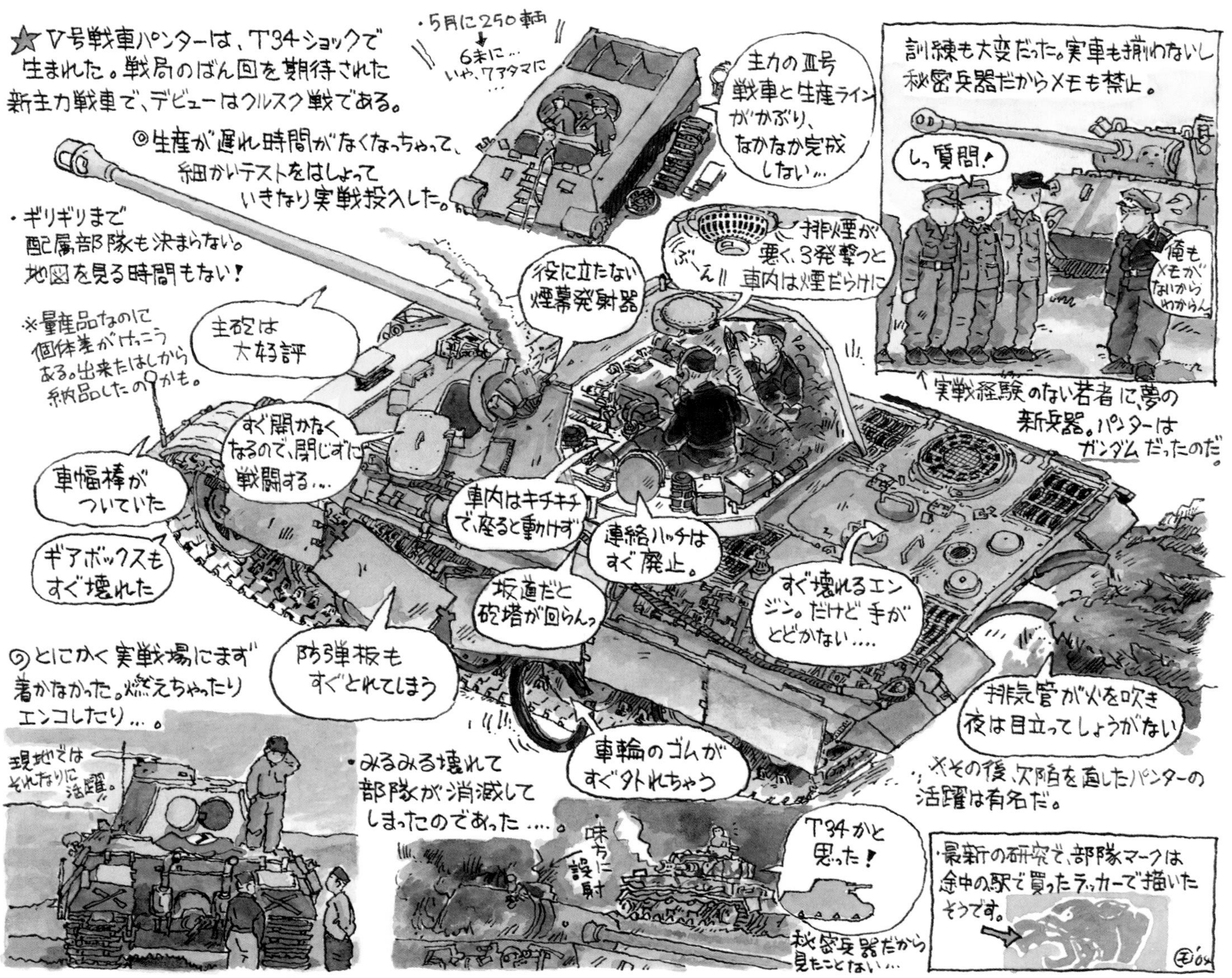
★Ⅴ号戦車パンターは、T34ショックで生まれた。戦局のばん回を期待された新主力戦車で、デビューはクルスク戦である。
・5月に250輌
6末に…
いや、7アタマに…
主力のⅢ号戦車と生産ラインがかぶり、なかなか完成しない…
◎生産が遅れ時間がなくなっちゃって、細かいテストをはしょっていきなり実戦投入した。
・ギリギリまで配属部隊も決まらない。地図を見る時間もない！
訓練も大変だった。実車も揃わないし秘密兵器だからメモも禁止。
しっ質問！
俺もメモがないからわからん
排煙が悪く、3発撃つと車内は煙だらけに
ぶ〜ん!!
役に立たない煙幕発射器
主砲は大好評
※量産品なのに個体差がけっこうある。出来たはしから納品したのかも。
↑実戦経験のない若者に、夢の新兵器。パンターはガンダムだったのだ。
すぐ開かなくなるので、閉じずに戦闘する…
車幅棒がついていた
車内はキチキチで、座ると動けず
連絡ハッチはすぐ廃止。
ギアボックスもすぐ壊れた
坂道だと砲塔が回らんっ
すぐ壊れるエンジン。だけど手がとどかない….
防弾板もすぐとれてしまう
排気管が火を吹き夜は目立ってしょうがない
◎とにかく実戦場にまず着かなかった。燃えちゃったりエンコしたり…。
車輪のゴムがすぐ外れちゃう
※その後、欠陥を直したパンターの活躍は有名だ。
現地ではそれなりに活躍。
・みるみる壊れて部隊が消滅してしまったのであった….。
味方に誤射
T34かと思った！
秘密兵器だから見たことない…
・最新の研究で、部隊マークは途中の駅で買ったラッカーで描いたそうです。

Panther Ausf.D

パンターD型中戦車（ドイツ・1943-45年）

■III号戦車（71頁）を発展させたドイツ軍の主力戦車がV号戦車パンターでした。III号同様、サスペンションにはトーションバーを使用しましたが、車重が40ｔを超えたため、下部転輪を挟み込み式にして軸間をつめて数を増やし、接地圧を下げるようになっています。これはティーガー系列でも同様ですが、転輪やサスペンションの交換などには大変な手間となってしまいました。

【SPECIFICATION】

重量：43ｔ	装甲厚：16～100㎜	速度：46㎞/h
全長：8,860㎜		乗員：５名
全幅：3,400㎜	兵装：7.5㎝砲×１門	生産台数：850両
全高：2,950㎜	機関銃×２挺	

T-34/76 (Model 1942)

★戦車業界を一変させたT34/76であったが、もともと小さい大砲用に設計されていて、巨大な戦車砲を載せたためいくら何でも狭い。で、砲塔のサイズをひとまわり大きくしたのがこの「六角砲塔」である。
76.2mm L-11
76.2mm F.34
※昔のタミヤキットでいうところの1943年型。
前の型の巨大ハッチは廃止。
外を見るのも命がけだったのだ。
←特徴的な2枚のハッチから、ドイツ軍は「ミッキーマウス砲塔」と呼んだ。
・ドイツ兵の回想録にあるそうです。
外を見るには、やっぱり頭を出さねばならないが
換気扇の位置も直す。
生産性も向上した。わずか数パーツで形になる。
でも前があんまり見えない
大砲のとりかえも前から楽にできる。
没案のリサイクル T34/M
背が高くなり、防御力低下
←湯口
「まつ毛」と呼ばれるのぞき窓。あんまり見えない。
★ハッチは外からどう開ける？
そういえば取手がない。
・つけねの出っぱりを足で踏んで
開いて立てておくストッパー。
少し開いた所に手を入れもち上げます。
夢の無線器標準装備！
砲塔上部は鋳物で一発抜き。どんどん作れる。
ただ生産性を上げたが、兵士のレベルが低く、止まるとすぐ放棄されちゃったらしい。
工場から出た戦車の寿命は1週間。
乗ってる兵士の寿命も一週間
味方識別のでかい鉄十字がポイント。
ドイツ側もT34を戦力としてあてにしており、ちゃんと部隊もあったそうだ。
↑ドイツ側の記録と少し異なるが……。
数で押しまくる
40何輌撃破して、朝になったら15輌くらいになってました。修理されて、また来る
戦車は中の人間入れかえてまた使える♪ってセンス。
'04.

T-34/76 (Model 1942)　　T-34/76中戦車 1942年型（ソビエト連邦・1942-45年）

■T-34/76では、ドイツ軍重戦車や対戦車自走砲に歯が立たないとわかり、すぐに主砲を85㎜へと強化したT-34/85（11頁参照）を開発することになるのです。★戦車跨乗兵タンクデサントの寿命は一週間とありますが、さすがに実際の戦場では手前でちゃんと降りました。また物量は重要とはいえ〝数で押しまくる〟と言い切れるほど単純なものではなかったようです。（モ）

【SPECIFICATION】

重量：28 t	装甲厚：14 ～ 45㎜	速度：49.8㎞/h
全長：6,730㎜		乗員：４名
全幅：2,920㎜	兵装：76.2㎜砲×１門	
全高：2,438㎜	機関銃×２挺	

★SU122は、ドイツ軍のⅢ号突撃砲の影響をうけつくられた。
1942年10月に開発が命じられ、年末には量産に入る。わずか2ヶ月！
こんなのすぐ作れ
1ヶ月で何とかしろ
ノルマ
シベリア
なにぶん初めてなので改良点は出てくる。初陣では砲を上下する装置が壊れた(！)。
本来は歩兵支援用。
乗員は5人。天井にある1つのハッチから全員が出入りする。緊急脱出は難しそうだ……。
↓同時に別の工場で作られたモノ。捕獲Ⅲ号戦車をそのまま利用する。
いっぱい捕獲。
ここのフタを開けて照準する。銃砲も撃てる
例によって右は全く見えない
ハッチも3つになりました。
SU85
122mm野砲を装甲板で囲って載せた。
砲弾は分離式なので係員が多い
◎そのあと作った対戦車自走砲はいきなり改良されている…
クルスク戦では、ズラーっと並べて待ちぶせ攻撃して、ちゃんと活躍している
★戦後はブルドーザーに改造されたりして、使い倒される。現存するのはモスクワ郊外に1台だけだそうです。
平和〜
・どうしても前に出るせいか破壊された写真が多い。発射速度が遅いので、対戦車戦斗は実は苦手。

SU-122

SU-122突撃砲（ソビエト連邦・1942-45年）

■ドイツ軍のIII号突撃砲（19頁参照）に触発されて生まれたSU-122。車台とされたT-34は、本家III号同様、転輪周りにバネが見あたりません。ではトーションバーサスペンションかというとそうではなく、大直径の転輪を車体内部に配置された長いコイルバネで支えていたのです。これはBT戦車にも導入された、アメリカ発祥のクリスティー式と呼ばれる方式でした。

【SPECIFICATION】

重量：30.9ｔ	装甲厚：45㎜	乗員：５名
全長：6.950㎜		生産台数：637両
全幅：3,000㎜	兵装：122㎜榴弾砲×１	
全高：2,320㎜	速度：55㎞/h	

Tiger I (Early Production)

★クルスク戦といえば「パンツァー・カイル」である。数百台のドイツ機甲部隊は、ティーガーを先頭に巨大な楔（くさび＝keil）陣形をとり、ソ連陣地に突進した…. 昔の少年はみんなこう覚えた。
我々の4両のティーガーは「出切り」として先鋒に送られた
・ある伝説では17個ティーガー師団が参加したとか（3505両!）すごいことになっている。実際は150両ほどで、「ここ」という場所に配備されたそうである。広いクルスク全部なんかいきわたらない!
…しかしこれは話がデカくなりすぎたものらしい。
← 実際「クサビ」として使われたし。
後ろには装甲兵員輸送車、自走砲などがつづく。（と、ならったのだ）ワールドタンク向けの光景ではないか!
文献によっては「傘形」と。
200-250m
600m
Kampfstaffel im »Keil«
「パンツァータクティク」（大日本絵画）ヨリ
↑実際に楔型にはなるようでヤヤこしい。伝説にはいくらか真実がまじっているのだなあ。
攻撃集中
ゴワーン
あと、ティーガーは何かとすぐ動かなくなってしまう。
よし! 1台撃破!
大戦果です!
何回も数えちゃうのだ。
でもすぐ回収して、修理して復活する。整備部隊は昼夜関係なく働かなければならなかったが。
不眠不休
何発くらったかわからない
車内は暑かった
★もともと突破の先頭に立つ特別強力な戦車として開発された。いろいろな意味で別格戦車だったのである。
特別なのだった…。
キューポラにひさし（専用）がつけられますっ
ひ～
履帯が外れましたが、主力のすぐ後ろに修理部隊がついてきてて、すぐ再び動けるようになりました!
…ついてきているのか?
Ⓜ'04-'05

Tiger I (Early Production)

ティーガーⅠ型重戦車 初期型（ドイツ・1942-45年）

■様々な〝伝説〟が生まれたクルスク戦。2020年に邦訳が出版された『クルスクの戦い 1943』（ローマン・テッペル：著／大木毅：訳／中央公論社）ではそれらが覆されました。「戦車同士の衝突はあったみたいですねえ」と読後のモリナガさん。例えば1943年7月6日、ティーガーを主軸としたドイツ軍の〝戦車の楔〟に対し、ソ連軍戦車旅団が正面から激突、47両を失っているのです。

【SPECIFICATION】

重量：57 t	装甲厚：25 ～ 100㎜	速度：38㎞/h
全長：8,450㎜		乗員：５名
全幅：3,780㎜	兵装：8.8㎝砲×１門	生産台数：1,354両
全高：2,930㎜	機関銃×２挺	

★クルスク戦においてソ連軍は深い防御陣地を作った。そこでドイツ戦車が最も手を焼いたのが76.2mm対戦車砲である。ドイツ軍は「ラッチュ・バム」と呼んだ。
初速が速く、ぶちあたってから発射音がきこえる。
Ratsch
ぐぎゃ〜
Bum
"どがしゃーん"-"どん"みたいな感じかな？
←いわゆるそもそものラッチュ・バムはもうひとつ前の型である。
キットの
大量に捕獲してドイツ軍も使用する。(ロシアンPAK)
76.2mm師団砲(野砲)ZIS-3
1kmあたり15門の76.2mm砲を配置すれば、十分40両のⅣ号戦車をくいとめられます
全ての野砲は対戦車砲である。!!
ソ連軍は、あらゆる大砲を水平にして戦車にぶつけた。この口径を倍にした152ミリ砲も同様に対戦車任務にもついた。
←キットのは1942年型で、クルスク戦あたりから本格投入された。
★もともと対戦車砲は軽量であるものだった。
即応
3.7cm PAK 戦闘重量 328kg.
敵戦車が強力になるとそれにあわせて巨大化していったのである。
5cm PAK 戦闘重量 986kg
↑補助輪つければ、まだ、何とか。
7.5cm PAK(1.5トン) もう、人力では運べない
鋼鉄製、
★キットは7.5cm Pak40 1942年より、量産が始まる。これも「T34ショック」で開発が急がれた兵器だ。
※Pakは対戦車砲の意味
ナスホルンなどが載せている8.8cm PAK。もうこうなると何だかわからない。
←こういう記録写真があるのだ。
…しかも更に巨大化する。12.8cmとか…。
※記録写真を見ると、よく撃破された対戦車砲の車輪がなくなっている。地元の農民が持ってっちゃうらしいです。
ウチの畑を陣地にされちまった訳だし
荷車の車輪に使ったりするようだ。
・工具もすぐなくなる。
04-05
※このキットには、イギリスの6ポンド砲もオマケでついています。1940年、ドイツ軍に負けて開発されました。
口径57mm.
古いプラモのすりこみで妙に有名です

Anti tank guns

対戦車砲（ドイツ、ソ連、イギリス・1942-45年）

■クルスク戦では、いちばん上に描かれたソ連軍の対戦車砲陣地が幾重にも広範囲に構築されました。これは「Pakfront＝パックフロント」と呼ばれるもので、元はドイツ軍による戦術をソ連軍が転用したのです。ちなみに「Pak」（パック）とはドイツ語の対戦車砲＝Panzerabwehrkanoneの略語です。

【SPECIFICATION】	【7.5㎝対戦車砲 Pak40（ドイツ）】	【76.2㎜野砲ZIS-3（ソ連）】	【6ポンド砲（イギリス）】
	重量：1,425kg	重量：1,200kg	重量：1,215kg
	口径：75㎜	口径：76.2㎜	口径：57㎜
	最大射程：7,678m	最大射程：13,290m	最大射程：4,600m

シークレットアイテム・カリウスの217号車
217
オットー カリウス
1944年夏、ソ連軍の大攻勢がはじまった。ドイツ軍を南北に分断して、海に達しようとしている。後続の大部隊が来る前に先鋒部隊を撃破しなければならない。
リガ
デューナ ブルグ
マリナーファ村
フィンランド
バルト海
リガ
デューナ ブルグ
ドウア
黒海
1922年5月27日生まれ。イラストは1944年「柏葉付騎士十字章」を受章したときの。
デューナブルグの北、マリナーファ村はソ連戦車でいっぱいだ。カリウスの部隊はここに奇襲をかける。
一本道なので多数の戦車で行くと大混乱になる。2輌のティーガーで出撃。のこりは南の丘で援護。
1944.7.22 マリナーファの戦い。
村はソ連軍に占領されてるっ
命からがら
いきなり攻撃しないで、ちゃんと下見をする。カリウスは、冷静でマジメな人だった。
1940年入隊時カリウス（18才）
わずか4年でこの老けっぷり。おそるべし東部戦線
まず偵察用キューベルを持っていった。
偵察だっ
本当だってば
2輌のティーガーは全速力で村に突入して、イワンどもを奇襲する。一発の反撃も許すな
カリウスの偉いところは相棒を見つけたこと。単独行動は決してしなかった。
ケルシャー
この戦いで、T34/85、新兵器スターリンⅡ型らを17輌撃破。ヴィットマンのヴィレル・ボカージュの戦いに並ぶ戦功だった。
有名な打ち合わせシーン（事後の再現）新聞記事になったのだ
報道は具体的な内容はまるでなかったねえ…
その後重傷を負って回復してヤークトティーガー部隊に行ったりいろいろあって、戦後は薬剤師になって薬局を開業しているそうです。
参 ティーガー戦車隊（大日本絵画）
モデラーのための戦史（タミヤニュース・菊地晟）
1998年に吉祥寺怪人が会ったそうです。ごつくてしっかりしてた、という話でした。
薬局名 ティーガー・アポテケ
APOTHEK
©2009

Otto Carius　オットー・カリウス（ドイツ・1922-2015年）

■この解説欄担当の吉祥寺怪人は、アニメーション映画監督・宮﨑 駿さんの取材に同行しドイツのカリウスさんに会いに行きました。当時すでに76歳のカリウスさん、たいへん穏やかな方で、戦時中のことも細かく覚えていらっしゃいました。「最近のレオパルト戦車は乗員を減らすなんてダメだ！」とこぼすなどお元気でしたが、2015年1月24日に亡くなりました。

【PROFILE】　1922年5月27日、バイエルン州ツヴァイブリュッケン生まれ。独ソ戦では38(t)軽戦車乗員。1943年、第502重戦車大隊に転属、ティーガーⅠ型を受領。東部戦線で活躍後、1945年2月にヤークトティーガー装備の第512重戦車駆逐大隊第2中隊長に。戦後は薬局を経営。戦車撃破数150両以上。

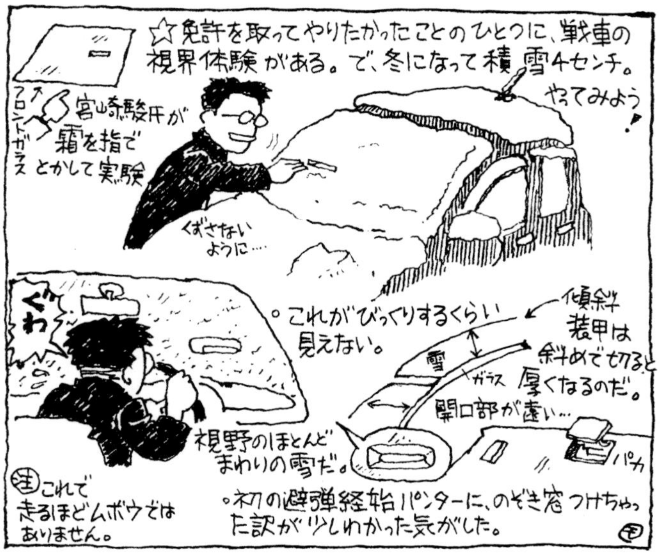
☆免許を取ってやりたかったことのひとつに、戦車の視界体験がある。で、冬になって積雪4センチ。
やってみよう！
フロントガラス
宮崎駿氏が霜を指でとかして実験
くずさないように….
ぐわ
○これがびっくりするくらい見えない。
傾斜装甲は斜めで切ると厚くなるのだ。
雪
ガラス
開口部が遠い…
視野のほとんどまわりの雪だ。
パカ
注 これで走るほどムボウではありません。
○初の避弾経始パンターに、のぞき窓つけちゃった訳が少しわかった気がした。

☆ハッチの話のつづき。内側にはロック装置があって、カギがかかっていると外から開けられない。だから戦車兵はみんな、専用の鍵みたいの持っているらしい。
ワインの栓抜きみたいな道具のようだが？
どういうモノかは不明でした

アニメーション映画監督、宮﨑駿さんがカリウス氏の戦記（その一部）が気になり、エストニアの戦場跡を取材後、ドイツのカリウス氏を訪ねた際の一葉。握手の相手は宮﨑監督。タミヤのタイガーⅠ型カリウス仕様のサイン入りを訪ねた人数分いただいてしまった。

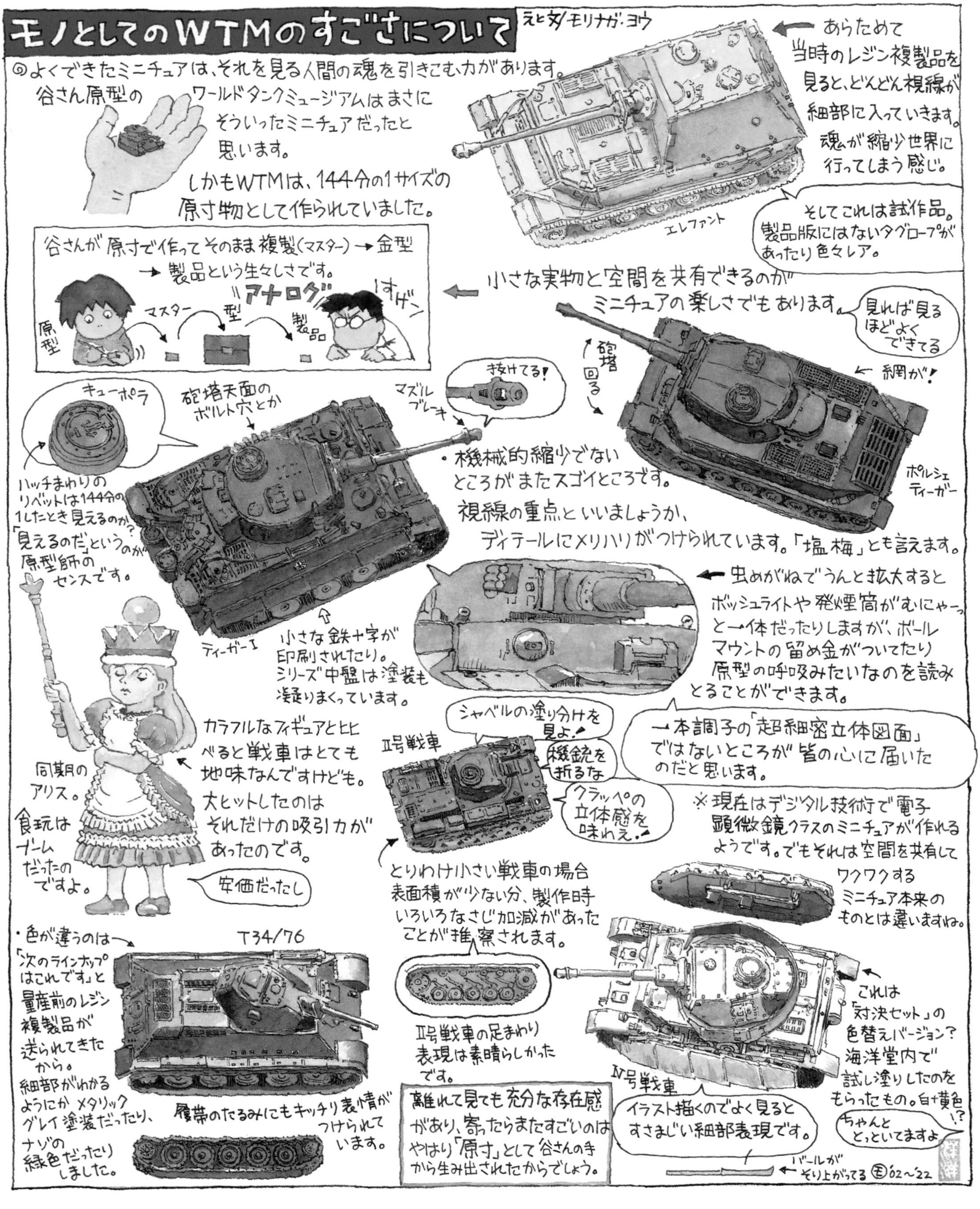
モノとしてのWTMのすごさについて
えと文/モリナガ・ヨウ
◎よくできたミニチュアは、それを見る人間の魂を引きこむ力があります。
谷さん原型の
ワールドタンクミュージアムはまさにそういったミニチュアだったと思います。
しかもWTMは、144分の1サイズの原寸物として作られていました。
←あらためて当時のレジン複製品を見ると、どんどん視線が細部に入っていきます。魂が縮少世界に行ってしまう感じ。
エレファント
そしてこれは試作品。製品版にはないタグロープがあったり色々レア。
谷さんが原寸で作ってそのまま複製(マスター)→金型→製品という生々しさです。
原型
マスター
型
製品
アナログ
ずザン
←小さな実物と空間を共有できるのがミニチュアの楽しさでもあります。
見れば見るほどよくできてる
砲塔回る
←網が!
ポルシェティーガー
キューポラ
ハッチまわりのリベットは144分の1したとき見えるのか?「見えるのだ」というのが原型師のセンスです。
砲塔天面のボルト穴とか
マズルブレーキ
抜けてる!
ティーガーI
小さな鉄十字が印刷されたり。シリーズ中盤は塗装も凝りまくっています。
・機械的縮少でないところがまたスゴイところです。
視線の重点といいましょうか、ディテールにメリハリがつけられています。「塩梅」とも言えます。
←虫めがねでうんと拡大するとボッシュライトや発煙筒がむにゃーっと一体だったりしますが、ボールマウントの留め金がついてたり原型の呼吸みたいなのを読みとることができます。
→本調子の「超細密立体図面」ではないところが皆の心に届いたのだと思います。
同期のアリス。
食玩はブームだったのですよ。
カラフルなフィギュアとヒヒべると戦車はとても地味なんですけども。大ヒットしたのはそれだけの吸引力があったのです。
安価だったし
III号戦車
シャベルの塗り分けを見よ!
機銃を折るな
クラッペの立体感を味わえ!
とりわけ小さい戦車の場合表面積が少ない分、製作時いろいろなさじ加減があったことが推察されます。
※現在はデジタル技術で電子顕微鏡クラスのミニチュアが作れるようです。でもそれは空間を共有してワクワクするミニチュア本来のものとは違いますね。
・色が違うのは→「次のラインナップはこれです」と量産前のレジン複製品が送られてきたから。細部がわかるようにかメタリックグレイ塗装だったり、ナゾの緑色だったりしました。
T34/76
履帯のたるみにもキッチリ表情がつけられています。
III号戦車の足まわり表現は素晴らしかったです。
離れて見ても充分な存在感があり、寄ったらまたすごいのはやはり「原寸」として谷さんの手から生み出されたからでしょう。
IV号戦車
イラスト描くのでよく見るとすさまじい細部表現です。
これは「対決セット」の色替えバージョン?海洋堂内で試し塗りしたのをもらったもの。白+黄色!?
ちゃんととっといてますよ
バールがそり上がってる
ヨ02~'22

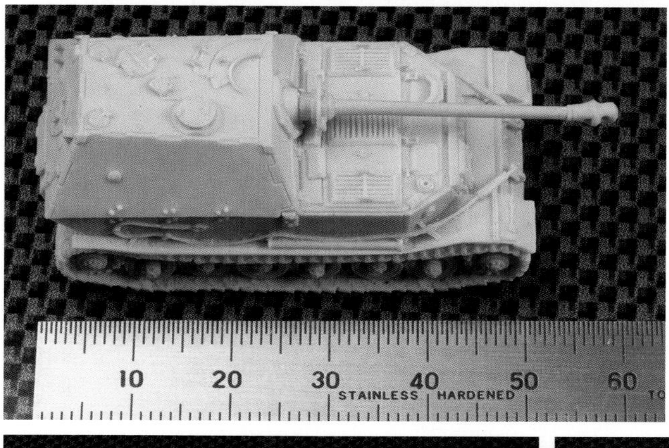

谷 明氏によるエレファントの最初の原型（複製品）。このディテールすべてが手で彫られていると感じた瞬間、魂を持っていかれてしまう驚異の密度。下二枚は左から、最初の原型～修正版～製品版。最初の原型にあったタグロープなどが除去されているのがわかる。また、原型がほぼ忠実に成形されていることにも注意。

ある父子とWTMの小さな物語

本書編集の吉祥寺怪人が以前、出入りしていたアニメーション制作会社さんに、とても感じのよいお若い担当者さんがいました。メカが多数登場する作品で、わたしも担当の岩田さん（仮名、1993年生まれ）もメカ好きということで、雑談で盛り上がっていました。そんななか、たまたまわたしがWTMに関わっていたという話をしたところ、「子供の頃、家にありましたよ♪」とにっこり。今回の全集刊行にあわせ、WTMがつなぐ縁、そしてWTMが紡ぐ父子の関係を、詳しくお聞きしてみました。

岩田さんのお父様（1960年生まれ、病院勤務）がWTMに興味を持ったきっかけはある日、当時の同僚がWTMを買ってきて、それがヴィットマンのティーガーでしかも良くできていたからだそう。

お父様によると、「250円～300円くらいの食玩でこんなに精巧なものができるなんてありえないと衝撃を受けました。そのうえ、戦車ファンが好きなドイツ軍の戦車が多数ラインナップされていて、そこからどんどん集めたくなっていきました。20年ぶりくらいにコレクションを確認してみましたが100個くらいは買ったと思います。そこからコレクションを整理したりしましたので、現在は70個ほどを保管しています」とのことで、もうセンムの作戦が大成功だったのがわかります。

「同僚４～５人で盛り上がっていましたね。私の年代の男の子は皆、戦車好きだと思います（特にドイツ軍）。集め始めてからは熱に浮かされたように大人買いしていました。箱買いはしませんでしたが、売店で小学生が吟味している横で４～５個くらいを一気につかんでレジに持っていく。そしてすぐに中身を確認したくて開けました。

猛者は戦車一つ一つの種類の重さを計量して検証し、ネットに公開していたと思います。それくらいWTMは人気があったように思います」

わたしはお父様の二つ下（1962年生まれ）なので、もうわかり過ぎるくらいわかるお話。では発売当時はまだ10歳前後だった岩田さんは、お父様のコレクションをどのようにご覧になっていたのでしょう？

「父がコレクションしていた当時は小学生低学年くらいの頃で、戦車のことはよくわかっていませんでしたが、父がティーガーをかっこいいと言っていたのはよく覚えていますね。特に印象に残っているのは赤いティーガーでしょうか。なんでもシークレットだったそうで父も「赤虎、赤虎」と言って喜んでいました（最終的には現実にはないデザインなので売ってしまったようですが）。あの鮮やかな赤の車体はいまでも記憶に残っています。

同梱されていた解説書も、当時の私には何が描かれているのかまったくわかっていませんでしたが、戦車のイラストと、その合間にびっしりと書き込まれた手書きの解説文のタッチがおもしろくて読みふけっていたように思います」

センムの洗脳は完璧でした（笑）。そしてやはりモリナガさんの解説書の伝達力……嬉しいですね。では岩田さんはWTMに触れることで、何か得るものやお感じになったことはあったのでしょうか？

「私はメカもの、ミリタリーものの作品が好きで、その下地は小学生の時に観たガンダムにあるのかといままで考えていましたが、父がWTMを収集していたことも影響しているのかもなぁと改めて思いました」

お父様の心の底に眠っていた戦車ファン魂を熱くさせたWTM、そしてその姿をみて育った岩田さん……WTM発売から20年、こんな素敵なご家庭が日本全国にあったのだろうと思うと胸いっぱいになります。■

いまではスペースの関係で押し入れの奥に封印されている岩田家のWTM部隊。今回、わざわざ並べて写真に撮っていただきました。芝生の上というのがとてもいいです。

- 139：Panther Ausf.G 3-Colors Scheme
- 140：Panther Ausf.G Winter camouflage
- 141：Panther Ausf.G Ambush Scheme
- 142：Flakpanzer IV “Wilbelwind” 2-Colors Scheme
- 143：Flakpanzer IV “Wilbelwind” 3-Colors Scheme
- 144：Flakpanzer IV “Wilbelwind” Winter camouflage
- 145：M10 Panther (with Muzzle brake) Mono-color Scheme
- 146：M10 Panther (no Muzzle brake) Winter camouflage
- 147：M4A3 Sherman Mono-color Scheme
- 148：M4A3 Sherman 2-color Scheme
- 149：M4A3 Sherman Winter camouflage
- 150：Jagdpanzer IV/70(V) “Lang” 3-Colors Scheme
- 151：Jagdpanzer IV/70(V) “Lang” Winter camouflage
- 152：Jagdpanzer IV/70(V) “Lang” Ambush Scheme
- 153：M20 Armored Utility Car Mono-color Scheme
  & Schwimmwagen 3-Colors Scheme
- 154：M8 Light Armored Car “Greyhound” Mono-color Scheme
  & Schwimmwagen Mono-color Scheme
- 155：M8 Light Armored Car “Greyhound” Winter camouflage
  & Schwimmwagen Winter camouflage
- 156：Tiger II (Henschel Turret) 3-Colors Scheme
- 157：Tiger II (Henschel Turret) Ambush Scheme
- SECRET ITEM：M47 PATTON (Movie ver.)

PANZERTALES WORLD TANK MUSEUM
ワールド タンク ミュージアム
Series 08

ワールドタンクミュージアム・シリーズ 08

クルスク戦に続くテーマ別作戦その２は［バルジの戦い］篇。ついに解説イラストのモリナガさんをBOXアートに抜擢、宮脇センムの思い入れがとくにこめられているのはシークレットのM47だろう。

台紙の表裏は1944年12月にバルジの戦いでアメリカ軍に鹵獲されたティーガーIIの写真で、鹵獲直後とその後の状態が比較できる。

■139：パンターＧ型・３色迷彩
■140：パンターＧ型・冬季迷彩
■141：パンターＧ型・アンブッシュ迷彩
■142：IV号対空戦車ヴィルベルヴィント・２色迷彩
■143：IV号対空戦車ヴィルベルヴィント・３色迷彩
■144：IV号対空戦車ヴィルベルヴィント・冬季迷彩
■145：M10パンター（マズルブレーキあり）・単色迷彩
■146：M10パンター（マズルブレーキなし）・冬季迷彩
■147：M4A3シャーマン・単色迷彩
■148：M4A3シャーマン・２色迷彩
■149：M4A3シャーマン・冬季迷彩
■150：IV号駆逐戦車ラング・３色迷彩
■151：IV号駆逐戦車ラング・冬季迷彩
■152：IV号駆逐戦車ラング・アンブッシュ迷彩
■153：M20高速装甲車・単色迷彩＆シュビムワーゲン・３色迷彩
■154：Ｍ８グレイハウンド装甲車・単色迷彩＆シュビムワーゲン・単色迷彩
■155：Ｍ８グレイハウンド装甲車・冬季迷彩＆シュビムワーゲン・冬季迷彩
■156：ティーガー戦車II型ヘンシェル砲塔・３色迷彩
■157：ティーガー戦車II型ヘンシェル砲塔・アンブッシュ迷彩
■シークレットアイテム：M47パットン（映画版『バルジ大作戦』）

■2005年９月発売（生産数不明）
■造形企画制作／株式会社海洋堂
■原型制作／谷 明
■販売者／株式会社タカラ
■BOXアート／モリナガ・ヨウ
■土嚢型ガム（グレープ味）入り、250円
■製品を俯瞰してみると、バルジ戦に投入されたドイツ軍車両はどれも長砲身の強者ばかりだが、それでも劣勢になったのだから戦争というのは難しい。M8装甲車が三種かと思いきや、一種のみ砲塔のないM20にしてあるなど細かい配慮がなされている。

地獄の四連装を載せたヴィルベルヴィント対空戦車
2cm機関砲×4
BATTLE of The BULGE
・寒くて大変だったらしい。装甲板に手がくっついちゃう。
ドイツ軍のマネしてはじめての白色迷彩!!
対空識別布
M4A3シャーマン
名実ともに主力のパンターG型
M8グレイハウンド
六輪だ
グレイハウンドの意外な実体とは?
☆1944年12月、アルデンヌの森で、ドイツ軍は最後の大攻勢に出たのだった。はたして勝敗は?
なんとあのニセM10がラインナップに!!
アメリカ兵の服を着た
中身はパンターだ
予備履帯も米軍っぽく
M10パンター
IV号駆逐戦車ラング
パンターと同じ攻撃力。
©2005
ドイツ軍はラインの守り作戦と呼んだ
…「バルジ」というのは出っぱり、みたいな意味で地名ではありません
クリスマスはアントワープだ!!
燃料がすごく不安
今回はバルジの戦い編だッ!!
キングタイガー(ティーガーII)
水陸両用のシュビムワーゲン

BATTLE OF THE BULGE

バルジの戦い

■WTM第１弾から解説イラストで腕をふるってきたモリナガさんが、第８弾でついにパッケージイラストを手がけることになりました。右下のシュビムワーゲンは、1944年12月16日にはじまった［バルジの戦い］の初頭、マルメディーとサン・ヴィトの間で撮影された、ちょっとやらせっぽい写真が元になっています。運転手がかぶっている飛行帽のようなものは謎ですね。

Panther Ausf.G

★今回のパンターはG型、アゴなし(カマボコ防盾)シュルツェンつき、
暖房装置つき。ゴムつき転輪。
もう、なんだかわからないですね。
アゴつき防盾.
鋼鉄をいっぱい使うからあんまりうれしくない
暗闇をライトをつけず突っ走ってくる!
ゴー
暗視装置つきパンターも少数投入された、らしい(?)
★アルデンヌの戦いで有名なエピソードは、対戦車砲弾を12発喰らっても撃破されなかったというのがある。さすがに天井がはがれて浮き上がった。
無線機も外れる
無線手席です
!
ドイツ戦車は慎重に進んできました。我々のバズーカ砲を恐れていたようです。
1940年とは違うのだ。
前面は強力だが、側面は「弱点」だった。視界の悪い中ではその火砲を生かしきれない。
シャーマンにも勝機が。
砲塔の回転は早い。
シューッ
!!
とはいえ初陣だったこの無線手は、
神経が切れて戦車からとび出しどっかにいっちゃいました。
敵味方の区別も難しかったらしい。
米戦車隊に横づけして、あわてて逃げた話も残っている。
おお〜い♪
車内灯の色で気づいたそうです。米は赤系、独は青系。
だから例のニセM10も活躍のチャンスはあったのだ。
にせ.
※結局燃料・弾薬切れで、ドイツ戦車隊は死屍累々のありさまになる。記録写真でもパンター、ゴロゴロ出てくる。
放棄
兵力のムダづかい…
Ⓜ2005

Panther Ausf.G

パンターG型中戦車(ドイツ・1944-45年)

■「カマボコ防盾」「アゴつき防盾」の補足を。トップ画、主砲の付け根にある防盾が円筒を半分にした〝カマボコ〟型なのがわかるかと思います。敵弾がこの曲面の下側にあたった場合、砲弾は下へ弾かれ戦闘室へと飛び込んでしまうのです。これを「ショットトラップ」というのですが(32頁参照)、それを防止するため下側に〝アゴ〟のような段を追加して防護したのです。

【SPECIFICATION】

重量:45.5 t	装甲厚:16 〜 110㎜	速度:46km/h
全長:8.86m		乗員:5名
全幅:3.40m	兵装:7.5cm砲×1門	生産台数:2,953両
全高:2.98m	機関銃×2挺	

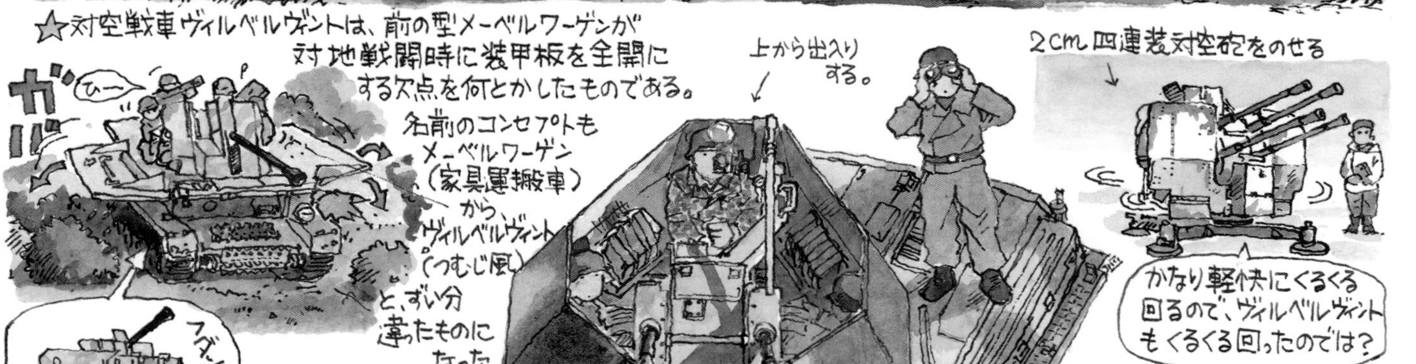
☆対空戦車ヴィルベルヴィントは、前の型メーベルワーゲンが
対地戦闘時に装甲板を全開にする欠点を何とかしたものである。
ガバ
ひー
名前のコンセプトもメーベルワーゲン（家具運搬車）から、ヴィルベルヴィント（つむじ風）と、ずい分違ったものになった。
フダン
※地上攻撃機《ヤーボ》天国のノルマンディー戦には間に合っていない。→
上から出入りする。
2cm四連装対空砲をのせる
かなり軽快にくるくる回るので、ヴィルベルヴィントもくるくる回ったのでは？
記録フィルムなどでは外に指揮官が立っている。行軍時どこにいたのか不明だ。キューベルワーゲンか何かでついて来てたのかな？
修理で戻ってきたIV号戦車車体にそのまま乗せる。
☆地上目標攻撃には絶大な威力を発揮した。
2cm機関砲×4である
ゲボボボ
米軍の四連装対空ハーフトラックも同様。肉切り包丁といわれる。
12.7ミリ×4
アルデンヌ戦は悪天候が前提で、本車が活躍する状況は実は問題なのだった。
ぶーーん…
来た来た来たーー
㊞'05

Wirbelwind

IV号対空戦車ヴィルベルヴィント（ドイツ・1944-45年）

■1976年発売のタミヤのプラモデル、ヴィルベルヴィントの解説書では、四連装２cm機関砲は「地獄の四連装」と表現されており、たいへん強力な兵器のイメージでした。しかし実際の対空戦闘では非力であり、3.7cm単装対空戦車メーベルワーゲンの補助として使われたようです。

【SPECIFICATION】

重量：22t	装甲厚：10～80mm	速度：38km/h
全長：5.89m		乗員：５名
全幅：2.88m	兵装：２cm四連装機関砲×１門	生産台数：84両
全高：2.76m	機関銃×１挺	

★ミューズ川にかかる橋を、爆破される前に奪取しなければならない――アメリカ軍に化けて橋に前進だ！…これが特殊作戦「グライフ作戦」である。
・無制限の援助が約束された、が…
武器も
軍服が集まらーん
夏服だし。
なんだか知らんがロシア兵の服が山ほど届く。
リーダー
オットー・スコルツェニー
・準備時間も足りない。
英語ペラペラの兵士が大募集されました。
元船員が多かったです。
…コマンド部隊としての技術は、もちろん素人です。
特急でたたきこむ。
スペシャル・ガイド
味方識別用に青いスカーフ。
出会ったらヘルメット脱いで、とか識別の目印がきめられた。
★米軍の車輌も、予定通りに集まらない…
苦肉の自作M10
トラベルロック
ベースキットはパンター G型。
キューポラを外す。鉄板で全体それっぽく
芸コマのブツク
尾尾も直す
足まわりはそのまま
予備履帯も米国式
車体前部大増築。
マズルブレーキとっちゃったのもあったとか。
※ドイツの人は、こういうことをすると止まらなくなってしまうようだ…
↑フランス製UE牽引車ベースの、はりぼてT34
I号戦車ベースのシャーマン。
訓練用らしい。
III号突撃砲の、シュルツェンを改造。なんだろう…
色が米軍カラー。
アメリカ兵の服を着た、ドイツ特殊部隊は、少人数だったが米軍側を大パニックにおとし入れた。
その意味では大成功
ニセ米兵がパラシュートで降下したらしいぞっ
アイゼンハワーをさらいに来たんだっ
中途半端な真実。降下部隊は存在した（ドイツ兵服）。
ちゃんと
でも 失敗
バラバラだよ…
疑心暗鬼のカタマリになって大変だったそうである。
ミッキーのガールフレンドは？アメリカ人なら言える
…
結局、思うように進めず"普通のドイツ戦車部隊として使われたのであった。
㊦'05→'21

M10 Panther

M10パンター（ドイツ・1944-45年）

■33頁でスコルツェニーのムッソリーニ救出作戦を「まるで映画のような」と書きましたが、このグライフ作戦こそ映画としか思えない作戦です。M10パンターはまるで撮影用に改造された戦車のようですが、急造されたわりに形はしっかりとおさえられおりていねいな仕上がりです。作戦には５両（10両の説もあり）が投入されましたが４両が撃破されてしまいました。

【SPECIFICATION】

重量：45.5 t	装甲厚：16 ～ 110㎜	速度：46km/h
全長：8.86m		乗員：５名
全幅：3.40m	兵装：7.5cm砲×１門	生産台数：５両
全高：2.98m	機関銃×２挺	

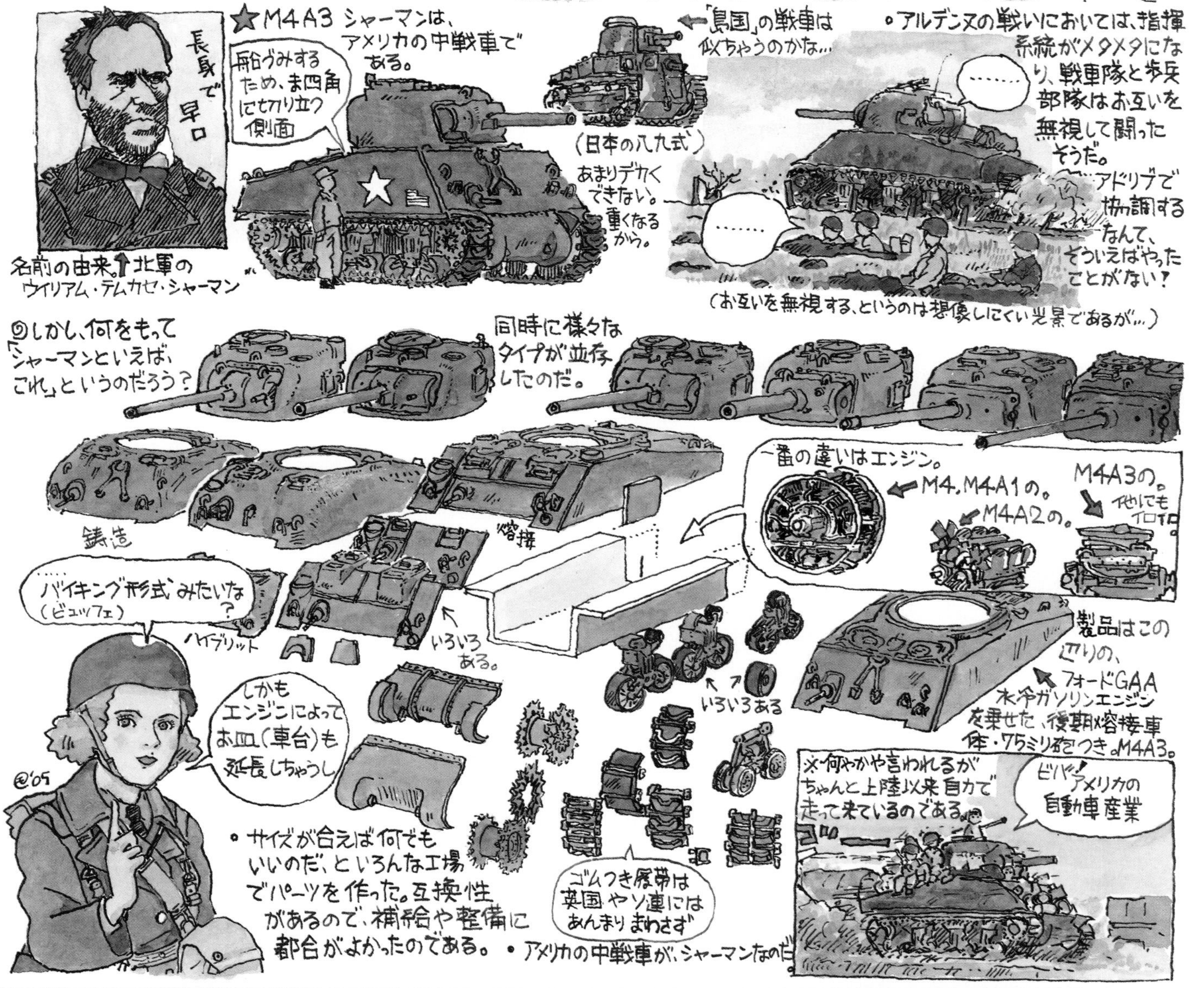
長身で早口
名前の由来。↑北軍のウイリアム・テムカセ・シャーマン
★M4A3シャーマンは、アメリカの中戦車である。
船づみするため、ま四角に切り立つ側面
←「島国」の戦車は似ちゃうのかな…
（日本の八九式）
あまりデカくできない。重くなるから。
・アルデンヌの戦いにおいては、指揮系統がメタメタになり、戦車隊と歩兵部隊はお互いを無視して闘ったそうだ。
……
……
アドリブで協調するなんて、そういえばやったことがない？
（お互いを無視する、というのは想像しにくい光景であるが…）
◎しかし、何をもって「シャーマンといえば、これ」というのだろう？
同時に様々なタイプが並存したのだ。
鋳造
溶接
ハイブリット
いろいろある。
……バイキング形式みたいな？（ビュッフェ）
一番の違いはエンジン。
M4、M4A1の。
M4A2の。
M4A3の。
他にもイロイロ。
製品はこの辺りの、フォードGAA水冷ガソリンエンジンを乗せた、後期溶接車体・75ミリ砲つきのM4A3。
いろいろある
しかもエンジンによってお皿（車台）も延長しちゃうし
・サイズが合えば何でもいいのだ、といろんな工場でパーツを作った。互換性があるので、補給や整備に都合がよかったのである。
ゴムつき履帯は英国やソ連にはあんまりまわさず
・アメリカの中戦車が、シャーマンなのだ。
※何やかや言われるがちゃんと上陸以来自力で走って来ているのである。
ビバ！アメリカの自動車産業
@'05

M4A3 Sherman

M4A3シャーマン（アメリカ・1944-45年）

■8頁のM4A1は航空機用星形エンジン搭載でしたが、その後のA2ではディーゼルエンジン2基を連結、このA3では水冷のV8ガソリンエンジン搭載となりました。この段階でようやくアメリカ陸軍は燃料の統一ができたわけです。アメリカ軍の主力戦車として本格的に実戦投入されたのはこのバルジの戦いからで、これ以降は太平洋戦線の硫黄島の戦いなどに参加しています。

【SPECIFICATION】

重量：31.5t	装甲厚：12.7～108㎜	速度：38km/h
全長：6.27m		乗員：5名
全幅：2.66m	兵装：75㎜戦車砲×1門	生産台数：11,170両
全高：2.93m	機関銃×2挺	

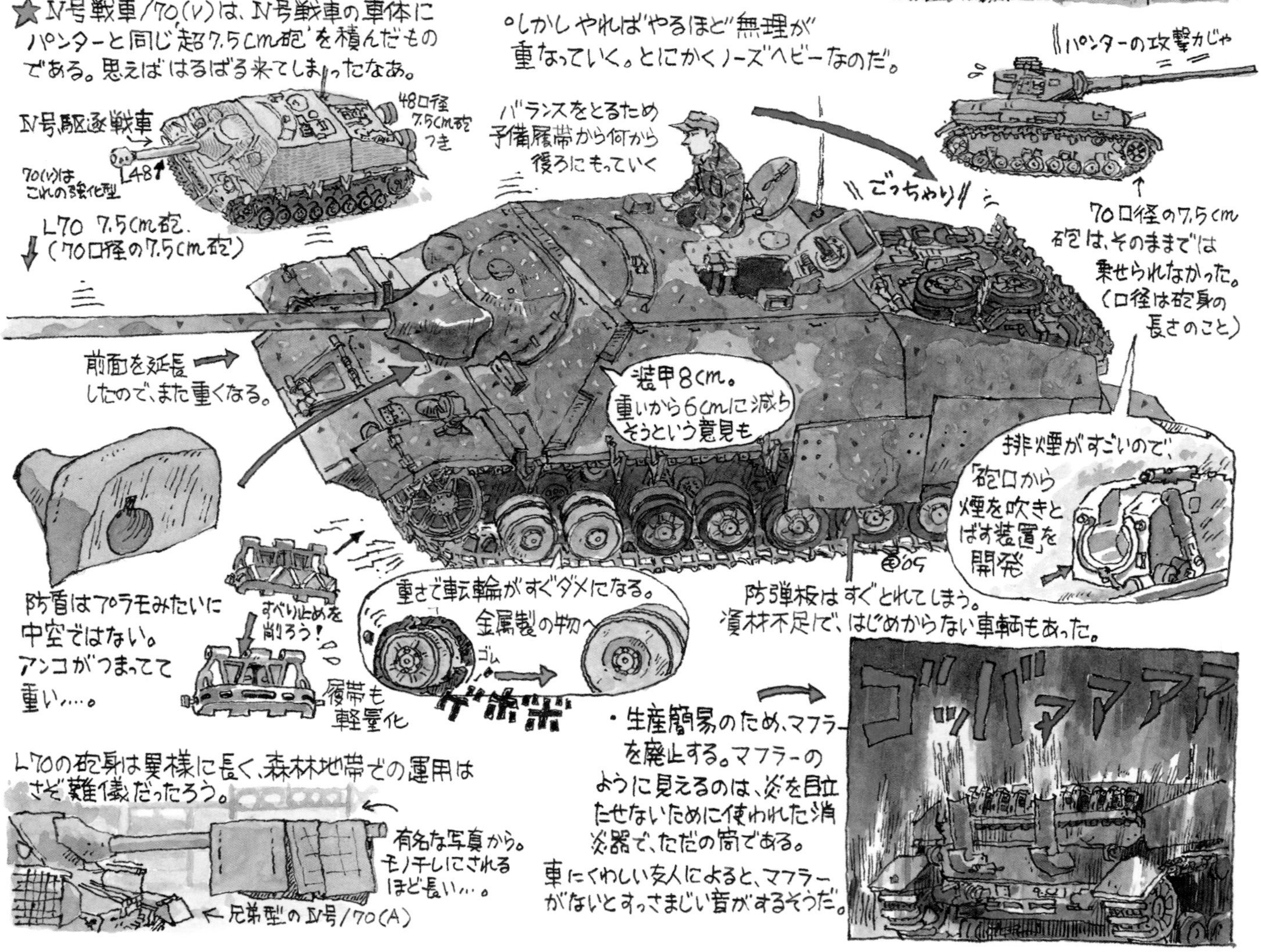
★Ⅳ号戦車/70(V)は、Ⅳ号戦車の車体にパンターと同じ"超7.5cm砲"を積んだものである。思えばはるばる来てしまったなあ。
。しかしやればやるほど"無理が"重なっていく。とにかくノーズヘビーなのだ。
≪パンターの攻撃力じゃ≫
Ⅳ号駆逐戦車
48口径7.5cm砲つき
70(V)はこれの強化型
L48
L70 7.5cm砲.(70口径の7.5cm砲)
バランスをとるため予備履帯から何から後ろにもっていく
≪ごっちゃり≫
70口径の7.5cm砲は、そのままでは乗せられなかった。(口径は砲身の長さのこと)
前面を延長したので、また重くなる。
装甲8cm。重いから6cmに減らそうという意見も
排煙がすごいので、「砲口から煙を吹きとばす装置」を開発
防盾はプラモみたいに中空ではない。アンコがつまってて重い…。
すべり止めを削ろう!
履帯も軽量化
重さで転輪がすぐダメになる。
金属製の物へ
ゴム
ゲボボ
防弾板はすぐとれてしまう。資材不足で、はじめからない車輌もあった。
・生産簡易のため、マフラーを廃止する。マフラーのように見えるのは、炎を目立たせないために使われた消炎器で、ただの筒である。
車にくわしい友人によると、マフラーがないとすっさまじい音がするそうだ。
ゴッバァアアア
L70の砲身は異様に長く、森林地帯での運用はさぞ難儀だったろう。
有名な写真から。モノ干しにされるほど長い…。
←兄弟型のⅣ号/70(A)

Lang

IV号駆逐戦車ラング(ドイツ・1944-45年)

■ドイツ軍のⅠ号からVI号戦車(ティーガー系列)までは、じつは「Panzerkampfwagen=装甲戦闘車」が正式呼称でした。本来「IV号装甲戦闘車」を便宜上「IV号戦車」と呼んできたわけです。しかし、このラングからは晴れて「Panzer IV」(IV号戦車)という名称になりました。48口径長版は「Jagdpanzer IV」(IV号駆逐戦車)なのでそのままでもよかったのですが。

【SPECIFICATION】

重量:25.8t	装甲厚:80㎜(前面)	速度:35㎞/h
全長:8.5m		乗員:4名
全幅:3.17m	兵装:7.5㎝対戦車砲×1門	生産台数930両
全高:1.85m	機関銃×1挺	

★M8グレイハウンドは37ミリ対戦車砲を積んだトラックの後継として発案された。
ドイツ兵の恐怖のマト、12.7ミリ機銃
火力と装甲のインフレがすごい
すさまじく窮屈な車内。動くと必ず何かに当たる。
プロトタイプ。車内スペースはすくない
ベースはトラックそのまんま
しかし時代は37ミリ砲どころでなくなり、戦車駆逐本部は興味を失う。
かわりに開発を主導したのが騎兵部隊だった…。
くくりつけないと、あばれるアンテナ
←せまいから荷物はみんな外へ。
平時は快適
上半身が出っぱる操縦席。
…深く考えて作ってないかも
砲塔より頭が上だ
フロカン能力もあてにできない、攻撃力も防御力も足りない
↑対戦車砲があるのになぜ対戦車地雷が?!
作戦に支障が出ちゃうよっ
せめてM5軽戦車が欲しい
ぬかるみにはまると出られない。
'44〜45の冬は天気が悪く大量に損失してしまう。
敵に会うとすぐ下車戦闘になるそうだ。
乗ってるちが危険?
(デカイので集中攻撃されちゃう)
…いや、これは装甲車なのだから
さて、アルデンヌの戦いでは、ドイツ軍の攻撃を騎兵部隊―このM8―がマトモに喰らうことになる。
あぎょ
★M20は、M8の砲塔を外して汎用装甲車として作られた。過度の期待がない分、地味に活躍する
(ロボコップという映画にも出演)
さすがのアメリカ自動車産業も、装輪車で戦車並みの走行性能は出せなかったので(また)あった。
※協力 尾崎正登氏
★フロッグのシュビムワーゲンは、ドイツの水陸両用車です。

M20 & M8 Greyhound

M20装甲車&M8装甲車グレイハウンド(アメリカ・1943-45年)

■第二次世界大戦時に装輪装甲車を多用した国はイギリスとドイツでした。とくにドイツは四輪、六輪、八輪などを揃えていました。しかしアメリカではこのM8とM20、そしてM3A1(56頁、M3ハーフトラックの元)しかありませんでした。六輪駆動の健脚でしたが、バルジ戦の雪深い時期にはタイヤにチェーンを巻く必要がありました。

【SPECIFICATION】

重量:7.8t	装甲厚:19㎜	乗員:4名
全長:5.0m	兵装:37㎜戦車砲×1門	生産台数:
全幅:2.54m	機関銃×2挺	M20 /約3,800両
全高:2.64m	速度:90㎞/h(整地)	M8 /約8,600両

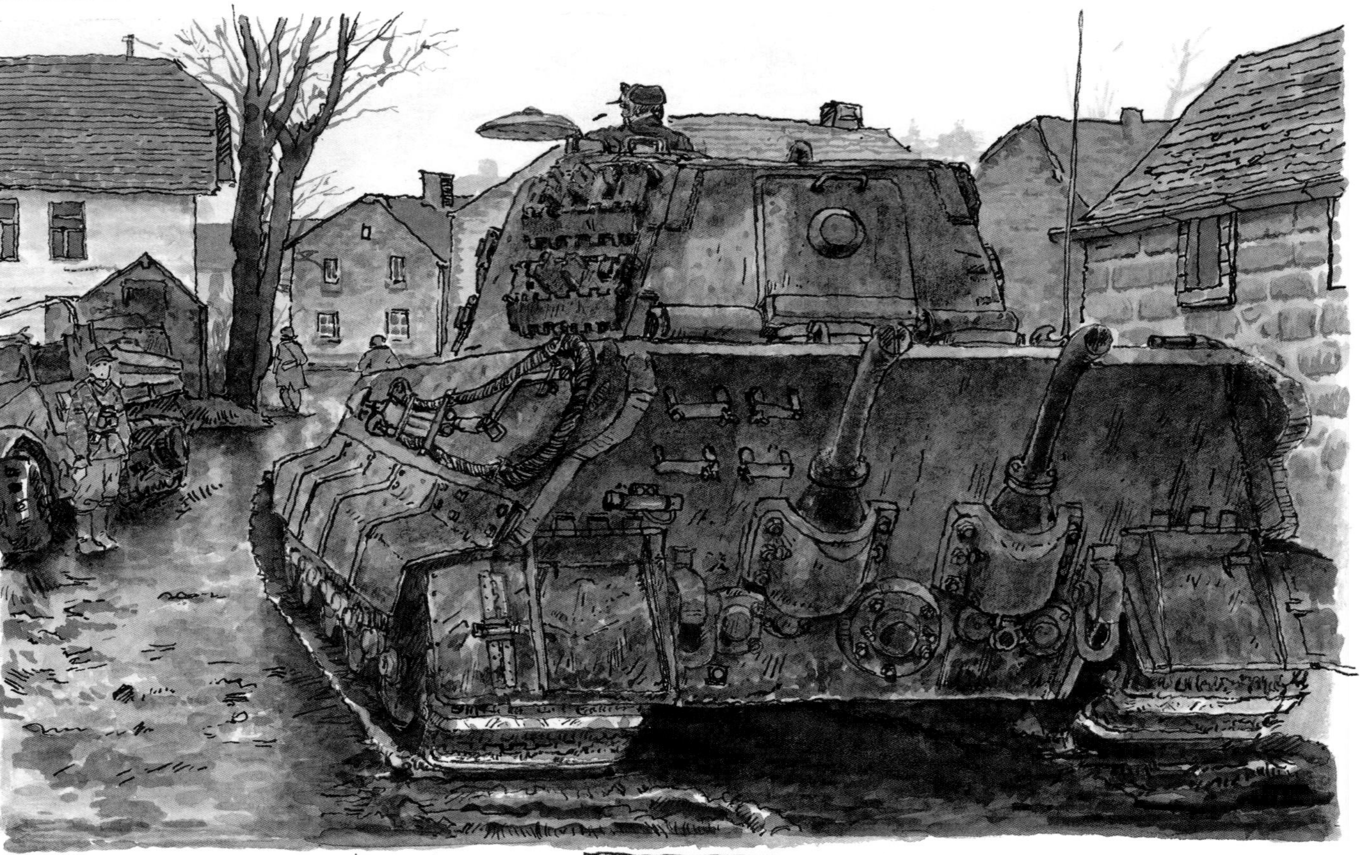

★この時期になると、ドイツ軍の資材不足は深刻で、何もかも足りない…。
ティーガーIIも、塗料がこころもとなく、錆止め塗装メインで、出荷された。
迷彩もうすーく塗る。
・米側の記録を読むと、とにかくティーガーばかり出てくるらしい。そんなにいなかったのだが。
オットー（燃料）もハーマン（弾薬）もないんだぞ！
★作戦開始までひたすら夜間行軍。1時間かけてキッチリカモフラージュして日中に備える。
山道なので どんどん燃料がなくなっていく…。
生木を使え
カモフラージュ担当将校がいた。
㊦'05
003
カラフルな車輌ナンバーは、都市が近くにあったからラッカーが手に入ったのだろう。
重くて道路をぶっ壊してしまう。
ただでさえ渋滞してるのに..
徴兵年齢を広げて大量の新兵を集める。コートもダブダブで訓練なんてほとんどやってない…
「燃料ひでり」は深刻で、しまいには放棄された米軍車輌から抜きとったりした。
でもやっぱりなくなっちゃって歩いて帰った。
ハイヨー！
M8グレイハウンドに後ろから撃破された、という話はドイツ戦車マニアは全く信じてないようです。
ティーガーを運用するのは独立大隊より重中隊として組みこんだ方がよかったと思います
……苦労したらしい。
（攻撃部隊を率いたパイパー氏）

Tiger II (Henschel Turret)

ティーガーII型重戦車 ヘンシェル砲塔（ドイツ・1944-45年）

■アメリカで保管されているティーガーIIは、バルジ戦で遺棄された車両をアメリカ軍が回収したものです。SS第101重戦車大隊の332号車は、1944年12月18日に故障のためコーという村に放置されました。その数日後に回収中隊が修理、列車でアントワープへ移送後、アメリカへと渡りました。最初はアバディーン試験場に展示、現在はパットン博物館に展示中です。

【SPECIFICATION】

重量：69.8 t	装甲厚：25 ～ 150㎜	速度：42㎞/h
全長：10.3m		乗員：５名
全幅：3.76m	兵装：8.8㎝砲×１門 機関銃×２挺	生産台数：442両
全高：3.08m		

★シークレットアイテム、キング・タイガー戦車
映画「バルジ大作戦」に出てきた重さ70t、火力は米軍戦車の2.5倍、装甲は2倍という重戦車だ。
112
え&文 モリナガ・ヨウ
さて…今回は「ムービータンク」である。1965年アメリカ映画「バルジ大作戦」の主役(?)である。CGや特撮(ちょっとあったけど)に頼らず、とにかく大量の戦車が大画面で暴れまくる。
ある世代以上にはモーレツに思い入れのある映画なのだ。
BATTLE OF THE BULGE
バルジ大作戦
少年達をしびれさせたオープニングの戦車兵の合唱。ドイツ戦車隊の歌、パンツァーリート。
これだけでご飯三杯はいける!
いや、半日は頭の中ぐるぐる回ります。
ドイツ軍は地下ヒミツ基地で機をうかがう。エーダイのジオラマの様だ!
戦車も地下工場だ。
主演 ロバート・ショウ。ヘスラー大佐
あれ? 主演はヘンリー・フォンダかな?
パイパーがモデルらしい。
進撃は順調だっ!
「ドイツ軍の手りゅう弾は投げ返され、アメリカ兵のトンプソンは百発二百中」って映画ではなく、けっこうドイツ側もいい感じで描かれる。
・油断しまくったアメリカ軍に、ドイツ戦車隊が大反撃!
…という大筋はまちがってない。
ジョークは忘れないぜっ
日ざしが。
しかし、後半はあきらかに「夏のスペイン」になっちゃう。撮影が長びいたのかな?
ベルギーでも冬でもドイツ戦車でもない…
ゴロロー
アメリカ兵は皆、タフでちょっと下品というイメージはそのまま。
こういうのが好かれるのか
→変なツッコミは入れずに見るのが正しい態度でしょう。このマンガも夏に描いてます。?
ゴロロ…
ハーフトラックも出てくる。
個人的には、このコマンドニセアメリカ兵がよかった。とにかく大活躍だった。
パラシュートで降下してくるし。ウワサそのまんま映画化。
こっちだよ
→大スペクタクル映画・テクニカル・ウルトラパナビジョン。映画館でリアルタイムで見た人は幸福だったろうなあ。自分(モ)が子供の時はテレビの洋画劇場、前後編ナシ、くらいのタイミングだったのではないだろうか。
出だしの このシーンしか覚えてない
★あ、戦車はM47というのです。たっくさん出てきます。
細かいエピソードは史実に基づいてたりする。

M47 PATTON

M47パットン(アメリカ・1951-53年)

■この映画に出てくる「キングタイガー」は色を塗り替えただけのM47で、ドイツ戦車ファンとしてはがっかりなのですが、動くM47の記録映像と考えるといまでは貴重かもしれません。ちなみに映画俳優のアーノルド・シュワルツェネッガーはオーストリア陸軍時代にM47に乗っており、のちにスクラップを入手し可動状態にレストアして現在でも乗り回しているようです。

【SPECIFICATION】

重量:46 t	装甲厚:101㎜	速度:48㎞/h
全長:8.51m		乗員:5名
全幅:3.51m	兵装:90㎜砲×1門	生産台数:約8,600両
全高:3.35m	機関銃×2挺	

2004年のシリーズ第８弾は［バルジの戦い篇］ということもあり宮脇センムの思い入れは最高潮で、発売元のタカラトミーさんも販促用にこんな大きなパッケージを作成。計３個が作られ、ひとつはこのままの状態でモリナガ家に20年近く保管されていた。
★「今回、海洋堂ホビーランドに寄贈できてホッとしました」（モ）

90頁のIV号駆逐戦車ラングの金属製の転輪というのはこのようなもの（この転輪に思い入れが強い吉祥寺怪人が米国アバディーン試験場に赴き撮影）。左が通常のゴムの転輪、右が周囲のゴムを廃止した金属製。

■158：AMX30 (Normal model) NATO Scheme
■159：AMX30 (Normal model) Winter camouflage
■160：AMX30 (Command vehicle) Mud Scheme
■161：AMX30 (Command vehicle) Mono-color Scheme
■162：M48A3 PATTON Mono-color Scheme
■163：M48A3 PATTON IDF Desert Scheme
■164：M48A3 PATTON NATO Scheme
■165：Strv.103 B “S-Tank” Mono-color Scheme
■166：Strv.103 B “S-Tank” Winter camouflage
■167：Strv.103 B “S-Tank” NATO Scheme
■168：M551 SHERIDAN (no Basket) NATO 3-Colors Scheme
■169：M551 SHERIDAN (no Basket) NATO Desert Scheme
■170：M551 SHERIDAN (with Basket) Mono-color Scheme
■171：M551 SHERIDAN (with Basket) Desert Scheme
■172：T-10M Desert Scheme
■173：T-10M Invasion of Warszawa
■174：T-10M Mono-color Scheme
■SECRET ITEM：LEOPARD 1A2 (Movie ver.)

PANZERTALES
WORLD TANK
ワールド タンク ミュージアム
MUSEUM
Series 09

ワールドタンクミュージアム・シリーズ 09

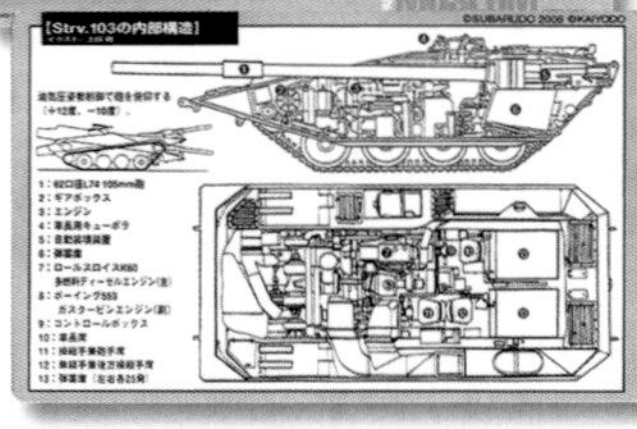

台紙の題材はＳタンクを選択。表面はイギリス・ボーヴィントン戦車博物館のタミヤホールに展示中の同車の写真（2002年撮影）。裏面には上田画伯による内部図解を掲載。

■158：AMX30戦車（ノーマル仕様）・NATO迷彩
■159：AMX30戦車（ノーマル仕様）・冬季迷彩
■160：AMX30戦車（指揮車仕様）・泥迷彩
■161：AMX30戦車（指揮車仕様）・単色迷彩
■162：M48A3パットン・単色迷彩
■163：M48A3パットン・イスラエル軍砂漠迷彩
■164：M48A3パットン・NATO迷彩
■165：Strv.103戦車Ｂ型Ｓタンク・単色迷彩
■166：Strv.103戦車Ｂ型Ｓタンク・冬季迷彩
■167：Strv.103戦車Ｂ型Ｓタンク・NATO迷彩
■168：M551空挺戦車シェリダン（バスケットなし）・NATO３色迷彩
■169：M551空挺戦車シェリダン（バスケットなし）・NATO砂漠迷彩
■170：M551空挺戦車シェリダン（バスケットあり）・単色迷彩
■171：M551空挺戦車シェリダン（バスケットあり）・砂漠迷彩
■172：T-10M戦車・砂漠迷彩
■173：T-10M戦車・ワルシャワ侵攻
■174：T-10M戦車・単色迷彩
■シークレットアイテム：レオパルド１A2（映画版『遠すぎた橋』）

2003～04年のシリーズ04から06の間にIRCコントロールシリーズという超兵器シリーズを挟んで進撃を続けたWTMシリーズも2006年春、第９弾［戦後の戦車シリーズ］でいったんその脚を止めることとなった。

■2006年４月発売（生産数不明）
■造形企画制作／株式会社海洋堂
■原型制作／谷 明
■販売者／株式会社すばる堂
■BOXアート／中西立太
■土嚢型ガム（グレープ味）入り、250円
■第９弾は、発売以来四年にわたって戦車ミニチュアシーンを熱くさせたWTMシリーズの最終仕様となった。BOXアートは中西画伯がトリを飾った。横位置のイラストは初となるが、これは宮脇センムからの「昔懐かしい戦車プラモ風に」というリクエストによるもの。

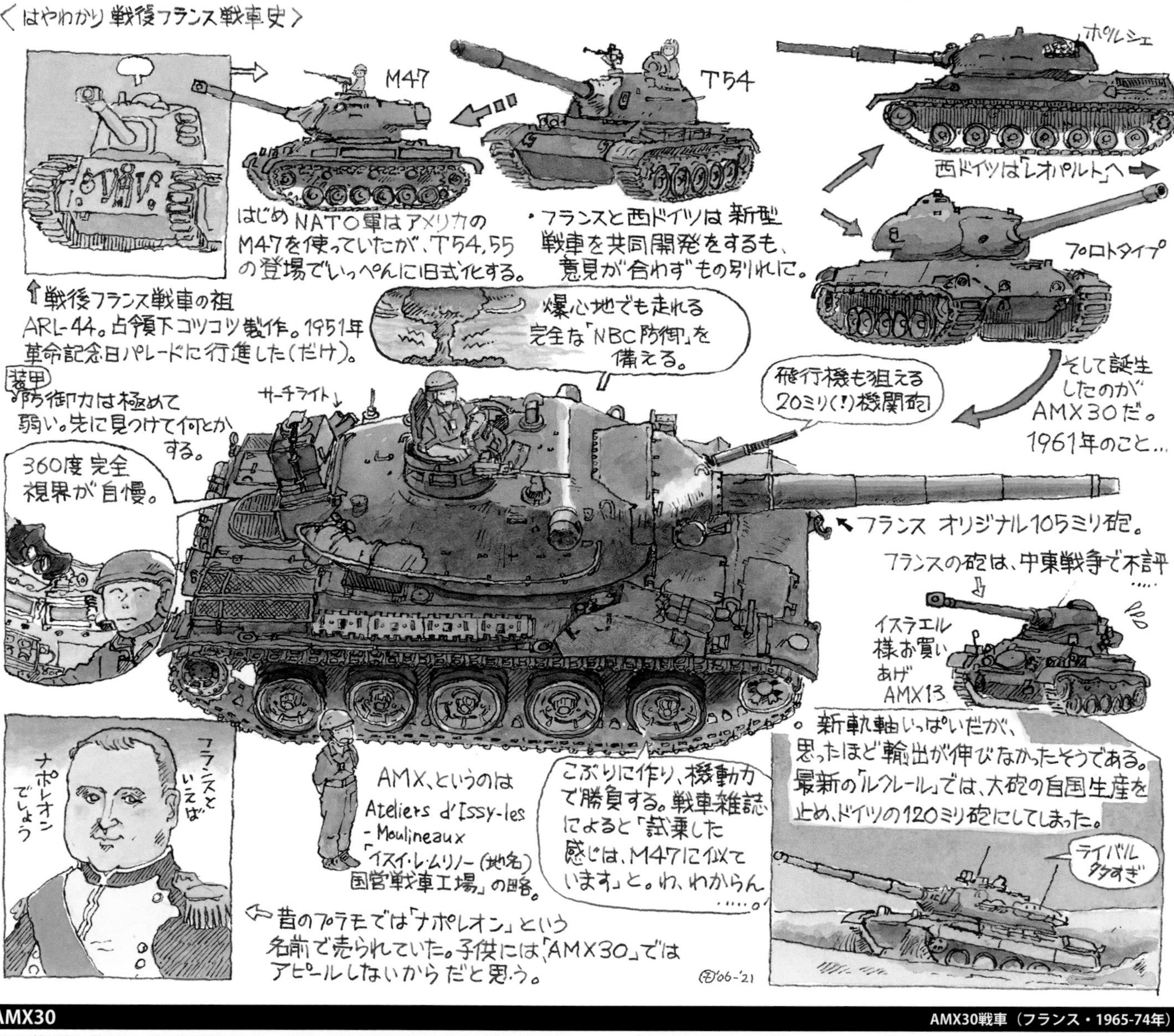
〈はやわかり 戦後フランス戦車史〉
M47
T54
ポルシェ
西ドイツは「レオパルト」へ
プロトタイプ
はじめ NATO軍はアメリカの M47を使っていたが、T54,55の登場でいっぺんに旧式化する。
・フランスと西ドイツは新型戦車を共同開発をするも、意見が合わずもの別れに。
↑戦後フランス戦車の祖 ARL-44。占領下コツコツ製作。1951年革命記念日パレードに行進した(だけ)。
爆心地でも走れる完全な「NBC防御」を備える。
そして誕生したのがAMX30だ。1961年のこと…
飛行機も狙える20ミリ(!)機関砲
(装甲)防御力は極めて弱い。先に見つけて何とかする。
サーチライト↓
360度完全視界が自慢。
↖フランス オリジナル105ミリ砲。
フランスの砲は、中東戦争で不評……
イスラエル様お買いあげ AMX13
。新軌軸いっぱいだが、思ったほど輸出が伸びなかったそうである。最新の「ルクレール」では、大砲の自国生産を止め、ドイツの120ミリ砲にしてしまった。
フランスといえばナポレオンでしょう
AMX、というのは Ateliers d'Issy-les-Moulineaux「イスイ・レ・ムリノー(地名)国営戦車工場」の略。
こぶりに作り、機動力で勝負する。戦車雑誌によると「試乗した感じは、M47に似ています」と。わ、わからん……
ライバル タタすぎ
⇦昔のプラモでは「ナポレオン」という名前で売られていた。子供には「AMX30」ではアピールしないからだと思う。
㊆'06-'21

AMX30

AMX30戦車（フランス・1965-74年）

■WTM第９弾は、戦後第１、第２世代戦車のシリーズです。第１世代戦車は61式（37頁）、M48（98頁）、T-10M（101頁）、など第二次大戦時の戦車の発展型でしたが、第２世代では国ごとの独自性がみられます。AMX30、レオパルト１、M60、74式（42頁）など主砲が105㎜クラスに強化されますが、防御面ではまだ避弾経始を重視したものでした。

【SPECIFICATION】

重量：46 t	装甲厚：80㎜	速度：65㎞/h
全長：9.48m		乗員：４名
全幅：3.10m	兵装：105㎜戦車砲×１門	生産台数：？両
全高：3.35m	機関銃×２挺	

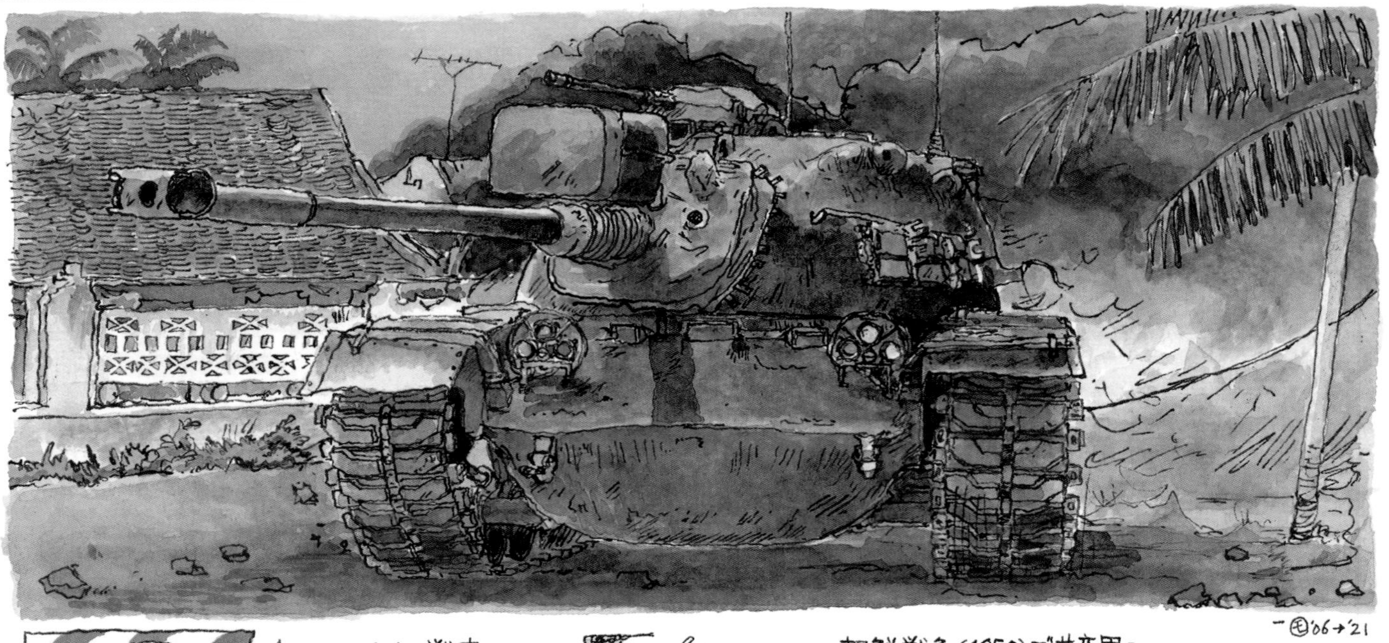
一毛'06→'21

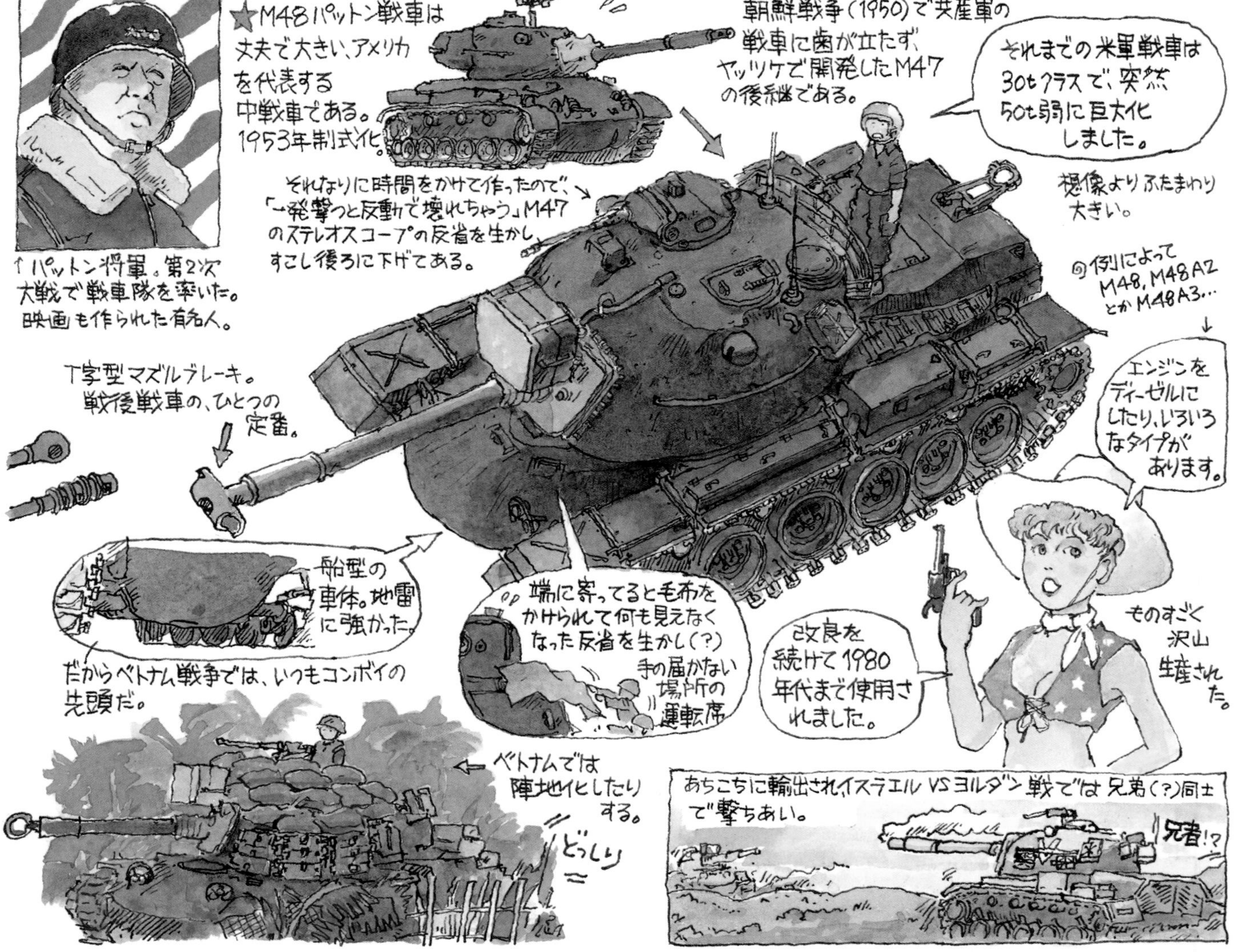
★M48パットン戦車は
丈夫で大きい、アメリカ
を代表する
中戦車である。
1953年制式化。
朝鮮戦争(1950)で共産軍の
戦車に歯が立たず、
ヤッツケで開発したM47
の後継である。
それまでの米軍戦車は
30tクラスで、突然
50t弱に巨大化
しました。
想像よりふたまわり
大きい。
それなりに時間をかけて作ったので、
「一発撃つと反動で壊れちゃう」M47
のステレオスコープの反省を生かし、
すこし後ろに下げてある。
↑パットン将軍。第2次
大戦で戦車隊を率いた。
映画も作られた有名人。
◎例によって
M48, M48A2
とかM48A3…
エンジンを
ディーゼルに
したり、いろいろ
なタイプが
あります。
T字型マズルブレーキ。
戦後戦車の、ひとつの
定番。
船型の
車体。地雷
に強かった。
だからベトナム戦争では、いつもコンボイの
先頭だ。
端に寄ってると毛布を
かけられて何も見えなく
なった反省を生かし(?)
手の届かない
場所の
運転席
改良を
続けて1980
年代まで使用さ
れました。
ものすごく
沢山
生産された。
←ベトナムでは
陣地化したり
する。
どっしり
あちこちに輸出されイスラエルVSヨルダン戦では兄弟(?)同士
で撃ちあい。
兄者!?

M48A3 PATTON

M48A3戦車パットン（アメリカ・1963年）

■パットン戦車一族は、第二次世界大戦末期にアメリカ軍が投入したM26パーシング重戦車がその先祖です。戦後すぐM26を改良したM46が誕生、これが初代パットンとなります。その主砲と砲塔を新しくしたのがM47（93頁）ですが基本設計は第二次大戦時のままでした。しかし次のM48で車体や砲塔形状などを一新、第２世代戦車となるM60へとバトンを渡しました。

【SPECIFICATION】

重量：52 t	装甲厚：110㎜	速度：48㎞/h
全長：9.30m		乗員：４名
全幅：3.65m	兵装：90㎜砲×１門	生産台数：1,662両
全高：3.10m	機関銃×２挺	

★ Sタンクはスウェーデンの戦車だ。1966年にデビューした時、その特異な姿で世界の戦車業界のドギモを抜いた。砲塔がないのだ。
※昔のプラモでいう「バルカン」。なぜバルカン？
早い
主砲は固定されている。油圧により車体を動かして狙いをつける。
ものすごくはやく
普段はディーゼルエンジンだが、ここぞという時にはガスタービンエンジンにきりかえる。
無線手は操縦手のうしろ
その他オリジナリティーあふれる工夫がいっぱいだ
横の棒を組み立ててボートの様に水上を進める。
操縦・照準レバー
急速に離脱する時は後ろ向きの無線手が運転する。
自動装てん操置で、装てん手不在。
車体ごとまわるため、足まわりは短かめ。見知らぬ悪路は走れない専守防衛戦車である。
後ろから弾こめ。
ギュルルン
ばおー
結局Sタンクは「最初で最後の」スウェーデン本格戦車となりました。現在はドイツから輸入したレオパルト2戦車を後継に採用しています。
でも前面・上面と大増加装甲にマニア改造しちゃった。
Stv.122
「世界最強」のウワサ。
ちなみにガスタービンに切り換えての360度ターンは約3秒！
酔いそうだ！
㊣06-'21

Strv.103B

Strv.103戦車B型 Sタンク（スウェーデン・1967年）

■戦前から戦後の冷戦期に至る武装中立国スウェーデンの、専守防衛に特化したStrv.103は第2世代戦車のなかでも異端児といってよいでしょう。同世代の戦車として日本の74式戦車（42頁）がありますが、同じく専守防衛の方針のなかで待ち伏せ用に姿勢制御機構が導入されたのは興味深い事実です。WTMのStrv.103を陸自仕様の迷彩に塗ってみるのも一興かもしれません。

【SPECIFICATION】

重量：39.7 t	装甲厚：60㎜	速度：50㎞/h
全長：9.00m		乗員：3名
全幅：3.60m	兵装：105㎜砲×1門	生産台数：300両
全高：2.14m	機関銃×3挺	

シェリダン
南北戦争のときの将軍
PT76
←ソ連のライバル軽戦車が水陸両用ということがわかり、アメリカもそれまで進んでいた軽戦車開発を中止して、このシェリダンを作った。
履帯をまわして進む
•M551 シェリダンは、アメリカの空挺戦車である。水上走行もできる「未来の戦車」だった。
ベトナム戦での最初の評判は、「この戦車は爆発する」という怖るべきものだった。一台が地雷でやられてしまったのが噂になったらしい…
対地雷キットが配られる
アルミ合金で軽量。電子部品がデリケートで、運用が難しい。
英国の研究書では、お金がかかりすぎる失敗作とあっさり言ってのけている。
運転席は独特。
くるくるまわる。
パラシュート
投下法は2種類。うんと低空・低速にした輸送機から下ろす場合
実戦投下は1989年。衝撃で車内の薬きょうが壊れ、
ぶちまけられた火薬を命がけで拾い集めました。
べっ
空中投下時は無人。あとで合流する。ソ連は有人で実験したらしいが…。
だからパラシュート切りはなしていきなり走り出すというシーンは残念ながらないのだ。

M551 SHERIDAN

M551空挺戦車シェリダン（アメリカ・1966-70年）

■この車両も第２世代に含まれる戦車ですが、主力からははずれ独自色が強く出ています。前頁のStrv.103と同様に、さまざまな新規軸を盛り込みすぎて駄作戦車になってしまった一両です。それでも1966年から70年までに1,662両が生産されたのです。最初の空中投下作戦は1989年のパナマ侵攻で、その後は湾岸戦争にも参加。2004年には退役となりました。

【SPECIFICATION】

重量：15.17 t	装甲厚：60㎜	速度：69.2㎞/h
全長：6.30m		乗員：４名
全幅：2.79m	兵装：152㎜砲×１門	生産台数：1,662両
全高：2.94m	機関銃×２挺	

T10は、ソ連最後の
重戦車である。
はじめ、スターリン
8型戦車(ИС8)
として開発されたが……
1950〜
スターリン
JS 3
JS 4
JS 7
いじってるうちに
'50
スターリンが死んで
しまい、名前が
T-10と
なる。
'53〜
批判
スターリン
フルシチョフ
ソ連の
戦車にしては
車内が
広いです
・模型はエンジン
強化型の
T-10M
また、表面の仕上げも
ソ連戦車らしからぬ
「ぬめっ」としたモノだそうです。
巨大化しているので
JS 3などより
転輪がひとつ増えている。
印象は「長い!」(マキシムの高田氏談) 曲がりにくそうだ。
☆1968年の「プラハの春」には攻めこんだ
はずだが、目立った活躍(?)はしていない。
ブレジネフ
マスコミ的にはT55に目が。
'68
……
戦車業界的にはT62に注目が集まる。
新兵器!!
ちなみに
補給を何も考えず侵攻したので
兵士は飲まずくわずでした。
↓ほかには1970年の「ベルリン解放25周年パレードに
出たくらい。
1970.
ドー
その後は中ソ国境で
トーチカとなる。スペアパーツ
の「とも食い」が始まったころ
軍縮でその生涯をおえた。
ゴルバチョフ
退役は1993年…
40年以上現役
だったのだ。

T-10M

T-10M戦車(ソビエト連邦・1957年)

■このWTM第９弾の戦車たちはすべて、1960年代中頃から70年代初頭にかけてプラモデルとして発売されて人気を博していました。当時の最新型の戦車だったからなのです。あのころの模型少年の多くは、このT-10であればスターリン、そしてナポレオン、バルカン、シェリダン、パットンという名で親しみ、モーターで力強く走る姿に夢中になったことでしょう。

【SPECIFICATION】

重量：51.5 t	装甲厚：120㎜	速度：53km/h
全長：9.87m		乗員：４名
全幅：3.38m	兵装：122㎜砲×１門	生産台数：1,539両
全高：2.43m	機関銃×２挺	

遠すぎた橋戦車
LEOPARD 1A2
ムービータンク
★今回は、1944年9月に行われた「マーケット・ガーデン作戦」を、そのまま映画化しようとした恐るべき作品『遠すぎた橋』に出てきた戦車です。
バリバリ走りまわります。
ドイツ戦車の、圧倒的なデモーニッシュ感がすごく出ている珍しい作品。
オランダ軍のレオパルトを借りているので、改造に限界があるが、そんなのどうでもいい。大事なのは本質だ。
ナゾドイツ装甲車もいっぱい出てきます。
の本物キューベルのほかに、クラッシュするにせキューベルも
◎戦争がおわって30年、約12万の兵員が参加した大作戦をほとんど現場で再現したのだ。オランダオールロケ。
最近の映画によくある「オマハビーチに似た浜辺でロケ」なんてユルいモノではない。何よりも「空間的広がり」が感じられる文字通りの超大作である。しかも負けいくさ。
スターを並べないと商品として成立しないだろう。
町を作ってぶっこわしたり。ケタ外れだ…
橋の上で壊されるので、割とおおらか。
お、これはよくできてる
なんだろう…?
↑ロケだから、30年後とはいえ同じ場所。しかもカラーで見られる訳だ。ああ、オランダの空はこんな色だったのですね…変な気分になる。
現実と映画がまぜこぜの
連合軍車輌は生きてるのをカキ集めた。M4系の走り出すキャタピラのアップを見るとしびれます。
←数を増やすためにタンクを「型どり」したそうだ。後ろのほうに並べてあるのは、ベースキットはフォルクスワーゲン。
当時の兵士も存命していて、撮影現場にやってきたそうだ。アンソニー・ホプキンズの芝居に口を出したりした。
オレはそんなに頭を下げなかった!!
フロスト中佐役
本人
CGや特撮に頼らない潔よさ。
降下シーンは英国第16師団の全面協力である。
空挺
コーネリアス・ライアン『遥かなる橋』
ただ、最大の問題は原作をマジメに全部やろうとしたこと。読んでないと訳がわからん…読んでから見ると驚きます。
ゴゴ
ロード・オブ・ザ・リングみたいに3部作に….できないか。
図書館でかりよう
マートル
←何の説明もなくニワトリを抱えた降下兵が出てくる。ペットのマートルにもいろいろドラマがあるのだった。
兵科カラーが赤だ♡
㊟は封切り日に見に行きました。はじめの方しか覚えてません。
㊟'06-'21

LEOPARD 1A2

レオパルド1A2（西ドイツ・1972-75年）

■傑作戦争映画として名高い『史上最大の作戦』の原作者であるコーネリアス・ライアンが発表した新作戦記小説『遥かなる橋』の原作権をいち早く取得し制作されたのが1977年公開の『遠すぎた橋』でした。しかしライアンは執筆中にガンで入院、1974年に脱稿しますが同年11月に永眠します。オランダロケを敢行した超大作をみることなく他界されたのでした。

【SPECIFICATION】

重量：40 t	装甲厚：70㎜	速度：65km/h
全長：9.54m		乗員：４名
全幅：3.25m	兵装：105㎜砲×１門	生産台数：232両
全高：2.61m	機関銃×２挺	

シリーズ第９弾の商品の台紙（96頁参照）に使用されたのはイギリスのボーヴィントン博物館に展示中のＳタンクの画像（2002年撮影）だったが､2019年の訪問時には車体前部に柵状装甲とサイドスカート付きの最終仕様になっていた。

WTMに封入された解説書は、シリーズ01～05まではA5判の四つ折りだったが、シリーズ06からはA4判に拡大された。IRCはA4判二つ折りだが図解とその裏の情報欄の大きさと構成は01～05と同じ。KITではまたA5判に戻っている。

■WR-01：Tiger II Henschel Type (Peiper Kampfgruppe)
■WR-02：Tiger II Henschel Type (s.SS-Pz.Abt.101)
■WR-03：Tiger II Porsche Type (s.Pz.Abt.503)
■WR-04：Jagdtiger (s.Pz.Jg.Abt.512)
■WR-05：Panther Ausf.G (Pz.Div.2)
■WR-06：Panther Ausf.G (Pz.Br.106)
■WR-07：M1A1 ABRAMS (3rd.Inf.Div.)
■WR-08：M1A2 ABRAMS (1st.Inf.Div.)
■WR-SP3：Panther Ausf.F

PANZERTALES
WORLD TANK
ワールド タンク ミュージアム
MUSEUM

ワールドタンクミュージアム・赤外線コントロールシリーズ

WTMの精度がすでに驚異的であるのに、それをRC化してしまうという恐るべきシリーズ。宮脇センムも「未来の玩具を出せてよかった」と当時のタカラの技術力を大絶賛だった。

■WR-01：ティーガーⅡヘンシェル型重戦車・パイパー戦闘団
■WR-02：ティーガーⅡヘンシェル型重戦車・SS第101重戦車大隊
■WR-03：ティーガーⅡポルシェ型重戦車・第503重戦車大隊
■WR-04：ヤクトティーガー重駆逐戦車・第512重戦車駆逐大隊
■WR-05：パンターG型中戦車・第２戦車師団
■WR-06：パンターG型中戦車・第106戦車旅団
■WR-07：M1A1エイブラムス・第３歩兵師団
■WR-08：M1A2エイブラムス・第１歩兵師団
■WR-SP3：パンターＦ型中戦車・実戦配備想定

■2003年～2004年発売
■造形企画制作／株式会社海洋堂
■原型制作／谷 明
■商品企画開発／株式会社タカラ
■単４形アルカリ電池２本使用（別売）、3480円
■1/144スケールながらちゃんと履帯で走行するギネス級のRCタンク。手榴弾型のコントローラーはタンクの充電器も兼ねている。

2003年のクリスマスにはモリナガ氏描き下ろしスリーブの２個セット限定仕様が発売された（WR-01と03のセットがWR-SP1、WR-02と04のセットがWR-SP2）。これには泥汚色キャタピラとパッケージイラストのポスター、折り目なしの解説書が同梱されている。

さらに翌年２月の【ワンダーフェスティバル2004［冬］】では会場限定品としてパンターＦ型が販売された（WR-SP3）。

ちなみにパンターＧ型のパッケージにヤークトパンターが写っているが、商品化には至らなかった。

ティーガーII型ファミリー
モリナガ・ヨウ 2003-／えと文
ティーガーII型ポルシェ砲塔タイプ。先行量産型で、はじめの50輌はこの型である。
◎第2次大戦末にドイツ軍が投入したティーガーII型と、その派生型ヤークトティーガーは悪夢的巨大戦車であった。開戦から5年で、ドイツの戦車はここまできてしまったのである。
マイバッハ液冷V型12気筒ガソリンエンジン
エンジン・足まわりはそのままでさらに巨大化する。
ティーガーII型
ヘンシェル砲塔（量産型）
8.8cm砲
・ヤークトティーガー
12.8cm砲
延長
重武装・重装甲を誇るも、エンジンはパワー不足。
揺戦車（5.4t）
うひゃあ
68t.
75t.
・恐るべきことにこんなのが動くのだ。
操縦手は小さなのぞき窓から前を見て運転しなければならない。
訓練不足で動かせる人間が少なかったです。
人も戦車もマメに休まないともちませんっ
ちょっと走ってはすぐ点検が必須なのだ。
マニュアルから
・カーブの方法
・路外走行時の注意
誤
正
・直進すべし
無理な方向転換すると、こわれちゃうのです
★ある時、ヤークトタイガーの部隊が90キロ移動することになった。行軍には3日はかかると想定されたが、2日で目的地に到着する。これは大記録と見なされた。
大快挙！
……1日30キロの予定？
※チャンと使うと山道でも走ったそうである。
夜間など誘導役は主に装填手の担当である。（すぐふみつぶされるキケンな任務）
○大戦末期の稼動率は実は低くはない。しかし燃料不足と大重量のため、エンコするとそのままになってしまう。戦後もそのままオブジェと化して、今日に至るものもある。
213
ベルギーに現存

Tiger II Family

ティーガーII型ファミリー（ドイツ・1944-45年）

■ティーガーII型ファミリーは、予備履帯を砲塔側面（ヤークトティーガーは戦闘室側面）に吊るしていました。これは予備のためと同時に補助装甲の意味もありました。ティーガーIIの履帯はガイドのある履板と連結用履板の二枚一組で構成され、一組の重さはなんと約63kgでした。これを人力で持ちあげていたとは思えず、おそらく整備用２ｔクレーンを使っていたと思われます。

【SPECIFICATION】

重量：68.5t、69.8t	装甲厚：25 ～ 150㎜	速度：42㎞/h
全長：10,300㎜		乗員：５名
全幅：3,760㎜	兵装：8.8㎝砲×１門	生産台数：489両
全高：3,080㎜	機関銃×２挺	

パンターG型
パンターG型は、第2次大戦後半のドイツ軍主力戦車である。G型はパンター系列の決定版と言えよう。
ただ操縦は難しかった。ティーガーのようにハンドルではなく、レバーで操向する。
しかもレバーの角度が変…。
他の場所でも書いたが、パンターの初期型（D型）では、ドイツ戦車には珍しく車幅棒がついている。運転の難しさが推し計れよう。
更なる進化形パンターII（試作）では、ハンドルが予定。
こんなか？
※パンターは、各型の呼び名がD型→A型→G型という順番である。ドイツ戦車七不思議（？）のひとつなのだ。
シュルツェンってなんだ？
これはもともと、ソ連の対戦車銃対策にとりつけられました。
ゴンゴン
厚さ5ミリの装甲板である。単なるペコペコの泥よけではない。
※のちにバズーカ砲などにも効果があることがわかった。
・ソ連は対戦車銃を多用した。
BAZ
長さ2メートル。14.5ミリ弾を発射。かなり強力。
戦車が近づくのをじっと待つのだ。
2人一組だ。
マニュアルでも起動輪を狙え！とあります。
シュルツェンの使いち裏ワザ。川を渡るときに、足場がために川底にバラして敷いたというエピソードが残っている。
ПТР
1小隊6挺集中的に撃ってくる。パンターの下部側面抜かれちゃう。

Panther Ausf. G　　パンターG型中戦車（ドイツ・1944-45年）

■ドイツ軍戦車は1943年以降、車体側面の防御用に「シュルツェン」と呼ばれる補助装甲板を装備しました。パンター戦車D～G型、III号戦車M～N型、IV号戦車G～J型、突撃砲、駆逐戦車、ティーガーII型ファミリーに装備されました（ティーガーI型とエレファントはなぜか未装備）。IV号戦車J型の末期は成形炸薬弾避けに特化し、鉄板ではなく金網製になりました。

【SPECIFICATION】

重量：44.8t
全長：8,860㎜
全幅：3,490㎜
全高：2,980㎜
装甲厚：15～110㎜
兵装：7.5㎝砲×1門
　　　機関銃×2挺
速度：45.5㎞/h
乗員：5名
生産台数：2,953両

・M1A1/A2 エイブラムス戦車は、現在のアメリカ軍の主力戦車である。どうやら世界最高級の性能を誇っている。
最近まで現役
もともとM60系列の後継を考えるにあたり、西ドイツと組んで「夢の無敵戦車」を開発していた。
MBT-70
（西ドイツ名KPZ.70）
意見があわなかった
・MBT70が没になりアメリカ独自の新主力戦車を開発することになる。
・それがM1だが、いろいろ改修されM1-A1になり、別系でM1-A2ができたり進化しつづけている。
割とフクザツ
M-1 A1 ブロックII
重量が60tもあるのに、超強力なガスタービンエンジンで
ガオオオ
砲塔が巨大なので横にしないとエンジンのハッチがあかない
「パワーパック」といってエンジン関係をまるごととり外せる。整備などに便利。
M1A1戦車大図解（グリーンアロー出版社）より作図。
カポッ
湾岸戦争の時は、すぐエンジンがダメになり総とっかえしながら走った…
…という説と、日に一度のエアフィルターの掃除だけでOKだったという説がある。
なまじ最近だと本当のところはよくわからない…
整地なら時速70kmは出るらしい。エンジンブレーキが全く効かないのだがガスタービンなので仕方がない。カーブに入るときは、ちゃんと減速しないとまがれない。
（初期はすぐキャタピラが外れたそうだ）
2003-'04

M1 ABRAMS

M1エイブラムス戦車（アメリカ・1985年-）

■第二次大戦物の映画ではM4などの実物が使用されますが、現代が舞台の映画ではなぜかM1エイブラムスの実物が使用されることはごくまれで、その多くはセンチュリオン戦車を改造した車両や実物大プロップ、またはCGモデルなどが使用されているのです。近年では『GODZILLA ゴジラ』(2014）に《M1センチュリオン》が登場、怪獣たちと戦っていました。

【SPECIFICATION】	重量：63t（A2）	装甲／複合装甲	速度：67.59km/h
	全長：9,830mm		乗員：４名
	全幅：3,658mm	兵装：120mm滑腔砲×１門	生産台数：?
	全高：2,885mm	機関銃×３挺	

パンターファミリー

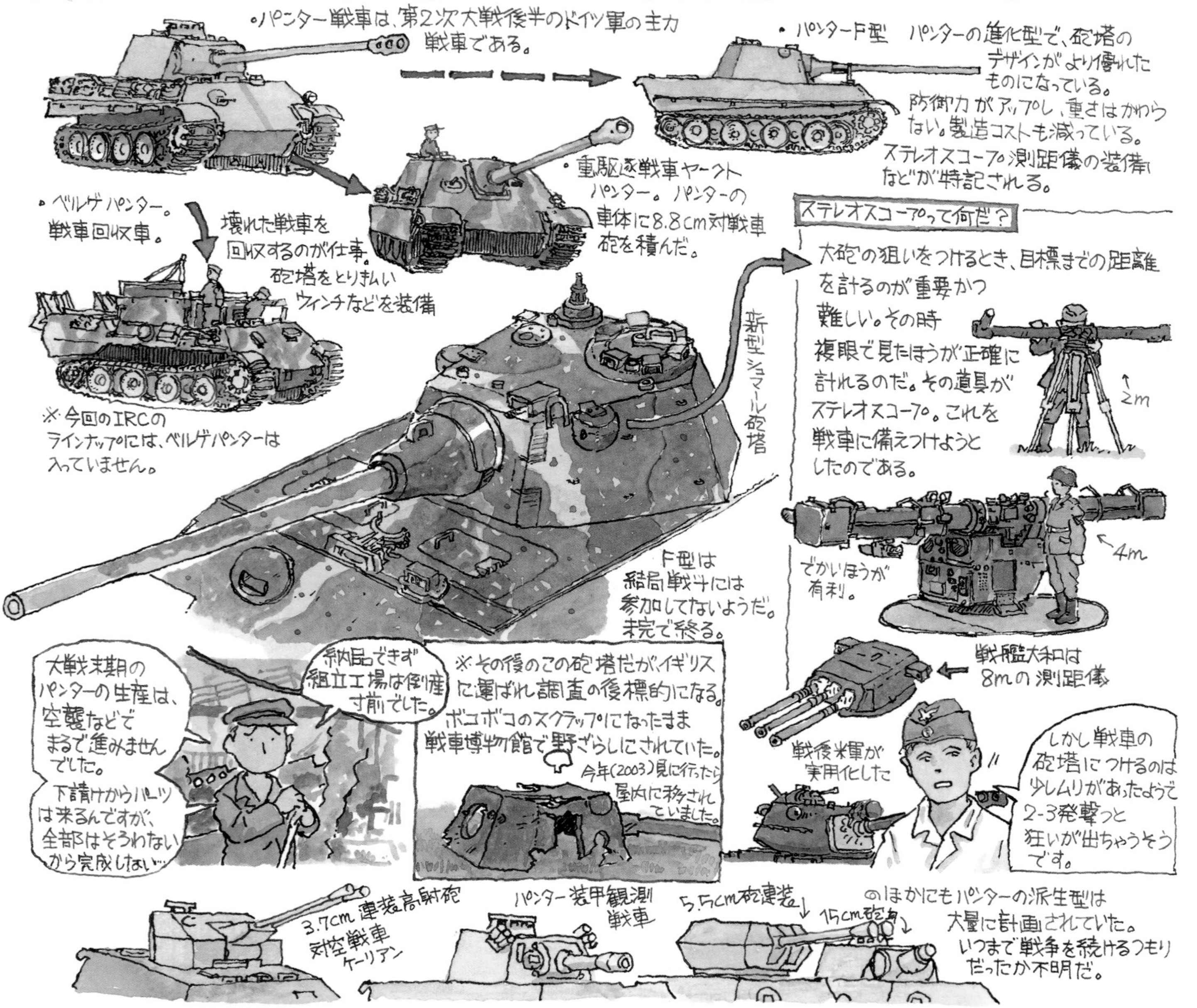
・パンター戦車は、第2次大戦後半のドイツ軍の主力戦車である。
・パンターF型　パンターの進化型で、砲塔のデザインがより優れたものになっている。
防御力がアップし、重さはかわらない。製造コストも減っている。
ステレオスコープ測距儀の装備などが特記される。
・重駆逐戦車ヤークトパンター。パンターの車体に8.8cm対戦車砲を積んだ。
・ベルゲパンター。戦車回収車。
壊れた戦車を回収するのが仕事。
砲塔をとりはらいウィンチなどを装備
※今回のIRCのラインナップには、ベルゲパンターは入っていません。
新型シュマール砲塔
F型は結局戦斗には参加してないようだ。未完で終る。
ステレオスコープって何だ？
大砲の狙いをつけるとき、目標までの距離を計るのが重要かつ難しい。その時複眼で見たほうが正確に計れるのだ。その道具がステレオスコープ。これを戦車に備えつけようとしたのである。
2m
4m
でかいほうが有利。
戦艦大和は8mの測距儀
大戦末期のパンターの生産は、空襲などでまるで進みませんでした。
下請けからパーツは来るんですが、全部はそろわないから完成しない…
納品できず組立工場は倒産寸前でした。
※その後のこの砲塔だが、イギリスに運ばれ調査の後標的になる。
ボコボコのスクラップになったまま戦車博物館で野ざらしにされていた。
今年(2003)見に行ったら屋内に移されていました。
戦後米軍が実用化した
しかし戦車の砲塔につけるのは少しムリがあったようで2-3発撃つと狂いが出ちゃうそうです。
3.7cm連装高射砲
対空戦車ケーリアン
パンター装甲観測戦車
5.5cm砲連装
15cm砲身
のほかにもパンターの派生型は大量に計画されていた。
いつまで戦争を続けるつもりだったか不明だ。

Panter Ausf.F

パンターF型中戦車（ドイツ・1945年）

■パンター戦車の深刻な問題点、例のカマボコ防盾（86頁参照）による跳弾を回避するため、砲塔前面面積を小さくした新型砲塔［Schmal＝シュマール（小型）砲塔］が1944年2月に開発されました。これにステレオ式測距儀を装備予定でしたが、大戦末期にはティーガーII型にも装備が計画されていました。戦後はアメリカのM47（93頁）からパットン系列に装備されています。

【SPECIFICATION】

重量：45t	装甲厚：15～120㎜	速度：55km/h
全長：8,860㎜	兵装：7.5cm砲×１門	乗員：５名
全幅：3,440㎜	機関銃×１挺	生産台数：１両
全高：2,920㎜	突撃銃×１挺	（砲塔のみ３基）

VOL.1
- Pz.Kpfw.I Ausf. B (Sd.Kfz.101)
- 8 ton Half-track (Sd.Kfz.7)
- 8.8cm Flak36

VOL.2
- J.G.S.D.F. TYPE 90 MBT
- J.G.S.D.F. TYPE 10 MBT
- J.G.S.D.F. TYPE 16 MCV

VOL.3
- Type 97 Medium tank “Chi-Ha“
- Type 89 Medium tank “Otsu“
- Type 2 “Ka-Mi“

VOL.4
- Tiger II
- Panther Ausf.G
- Jagdpanzer IV/70(V)

VOL.5
- Pz.Kpfw.IV Ausf. D
- Pz.Kpfw.38(t)
- M3 LEE

VOL.6
- Centurion Mk.1
- Type 5 Medium tank
- JS-3

PANZERTALES
WORLD TANK
ワールドタンク ミュージアム キット
MUSEUM KIT

半完成組み立てキットシリーズの登場『ワールドタンクミュージアム キット』

WTMシリーズは2006年の第９弾で休止状態となっていたが、2013年に突如として再展開を開始した。塗装済み完成品状態がWTMの特徴だったが、塗装済みのキット状態という驚きの仕様となって登場したのだ。

■戦車マニアでもある宮脇センムが、海洋堂でしかできない方法による戦車模型販売というスタイルで展開したWTMシリーズは、既存の模型メーカーへの挑戦の意味もあった。しかし、第一弾を発売後にシリーズごとに100万個以上という前人未到の販売数を記録し、いつしかそれが当然であるかのような錯覚に陥ったという。そしてシリーズ後半に100万個を割るようになった際、宮脇センムは「中止や！」と打ち切りを決定してしまう。しかし数年が経過し、冷静になったセンムは再度、WTMシリーズを純粋な気持ちで展開しようと思い至るのだった。そして「以前と同じことをやってもおもしろくない」ということから塗装済みキット仕様、また海洋堂マスコット・朋未さんの軍装コスプレといったアイディアが加味されていったのである。

【VOL.1　ドイツ電撃戦編1940】
原型製作：谷 明
パッケージモデル：朋未
発売日：2013年９月２日
価格：550円（税抜価格500円）

【VOL.2　陸上自衛隊編 最新装備車両】
原型製作：谷 明
マスター塗装：斎藤仁孝
アドバイザー：浪江俊明
協力：第一機甲教育隊
パッケージモデル：朋未
発売日：2014年９月29日
価格：550円（税抜価格500円）

【VOL.3　第二次世界大戦 日本軍戦車】
原型製作：谷 明（九七式中戦車、八九式中戦車）
マツオカステン（特二式内火艇）
マスター塗装：安田征策、斎藤仁孝
パッケージモデル：朋未
発売日：2016年５月23日
価格：550円（税抜価格500円）

【VOL.4　ドイツ機甲師団 アルデンヌ1944】
原型製作：谷 明
マスター塗装：斎藤仁孝
発売日：2017年７月24日
価格：550円（税抜価格500円）

【VOL.5　決戦!! ドイツ軍対アメリカ軍】
原型製作：平野英之／渡辺結樹（G-tempest）
マスター塗装：斎藤仁孝／岡 正信
発売日：2019年７月８日
価格：594円（税抜価格540円）

【VOL.6】
原型製作：渡辺結樹（G-tempest）
マスター塗装：マツオカステン〈松岡信行〉
発売日：2021年１月25日
価格：638円（税抜価格580円）

◉解説画はすべてモリナガ・ヨウが担当
◉VOL.4の解説画はSeries08を流用

キット版以前に発売された既存WTMの未組立版『ブラモデル』シリーズ

■2012年、WTM再スタートの実験的商品があった。部品状態の台紙もの仕様で、宮脇センムいわく「ブラ下げて売るんやからブラモデルや！」。

第１、２弾は陸自車両、第３弾は現用戦車三種（各300円）で、台紙ごと買うことも可能だった。組み立て図はモリナガさんが担当、台紙絵は上田 信画伯（詳細は巻頭折り込み裏参照）。

VOL.1　ドイツ電撃戦編1940

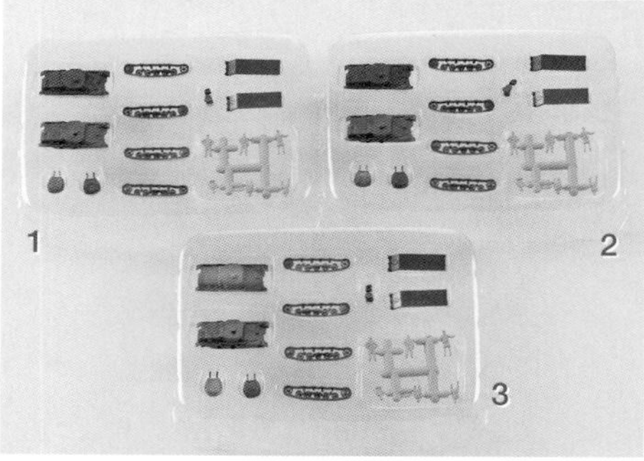

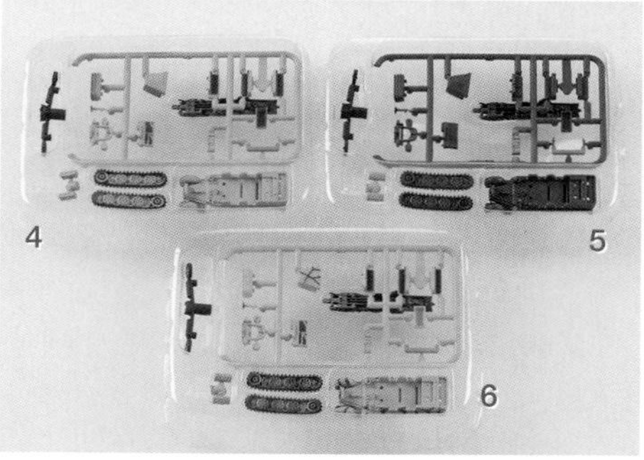

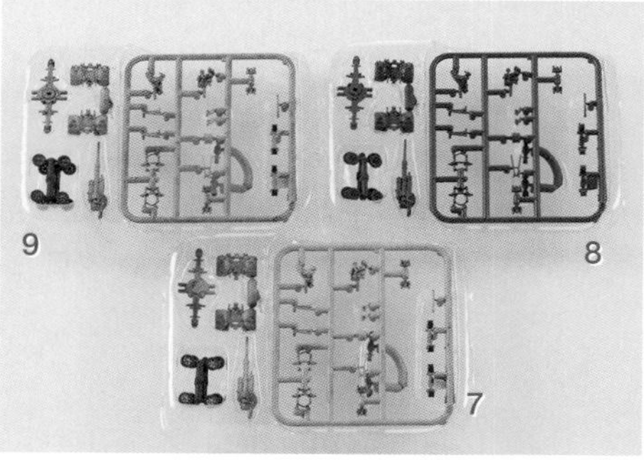

■１：Ｉ号戦車Ｂ型（Sd.Kfz.101）／DAKブラウン+無塗装版
　　　　　　　　　　　　　　　　　&1/144ドイツ兵フィギュア６体
■２：Ｉ号戦車Ｂ型（Sd.Kfz.101）／パンツァーグラウ+無塗装版
　　　　　　　　　　　　　　　　　&1/144ドイツ兵フィギュア６体
■３：Ｉ号戦車Ｂ型（Sd.Kfz.101）／デュンケルゲルプ２色迷彩+無塗装版
　　　　　　　　　　　　　　　　　&1/144ドイツ兵フィギュア６体
■４：８トンハーフトラック（Sd.Kfz.7）／DAKブラウン
■５：８トンハーフトラック（Sd.Kfz.7）／パンツァーグラウ
■６：８トンハーフトラック（Sd.Kfz.7）／デュンケルゲルプ２色迷彩
■７：8.8cm Flak36／DAKブラウン
■８：8.8cm Flak36／パンツァーグラウ
■９：8.8cm Flak36／デュンケルゲルプ
■シークレット:
1/35ドイツ軍
女性戦車兵フィギュア

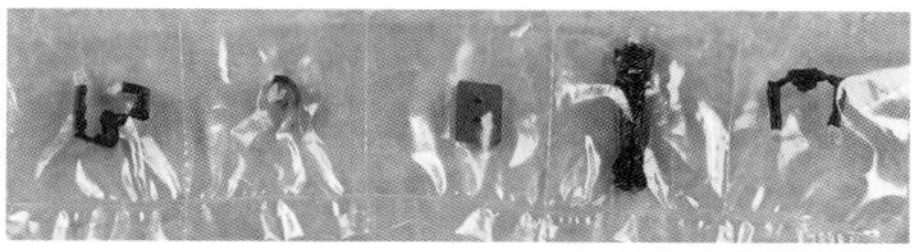

▲シークレットアイテムのドイツ戦車兵。こちらも塗装済みキット状態だった。腕は指差しと司令塔搭乗の二種類が付属。

VOL.2　陸上自衛隊編 最新装備車両

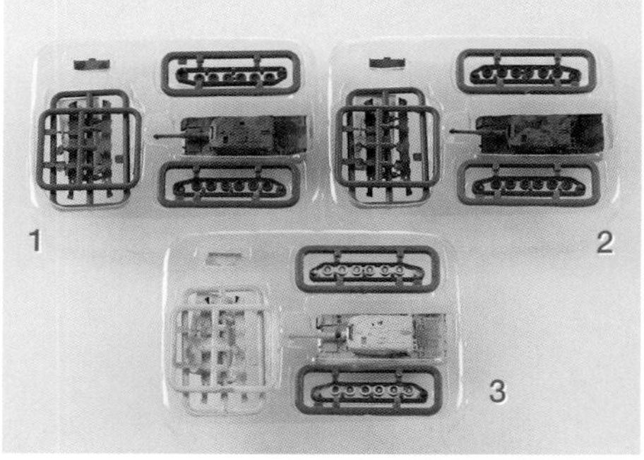

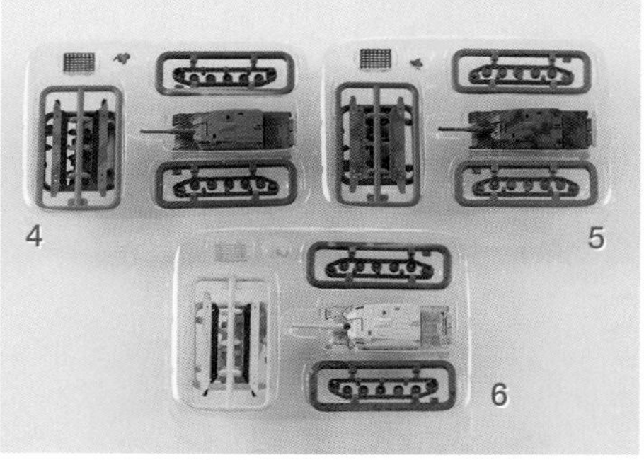

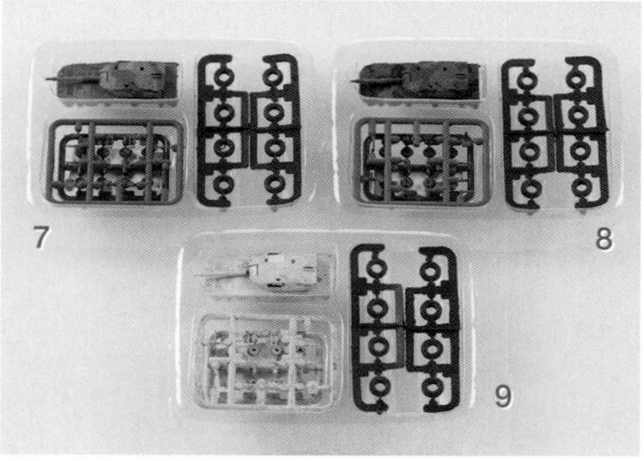

■１：90式戦車／陸上自衛隊二色迷彩
■２：90式戦車／NATO軍仕様迷彩塗装
■３：90式戦車／国連平和維持軍仕様
■４：10式戦車／陸上自衛隊二色迷彩
■５：10式戦車／NATO軍仕様迷彩塗装
■６：10式戦車／国連平和維持軍仕様
■７：16式機動戦闘車／陸上自衛隊二色迷彩
■８：16式機動戦闘車／NATO軍仕様迷彩塗装
■９：16式機動戦闘車／国連平和維持軍仕様
■シークレット: 1/35陸上自衛隊女性戦車兵フィギュア

▶シークレットは敬礼ポーズの女性戦車兵。1/35スケールだが表情はもちろん、戦車服の迷彩もある程度再現してある。

VOL.3　第二次世界大戦 日本軍戦車

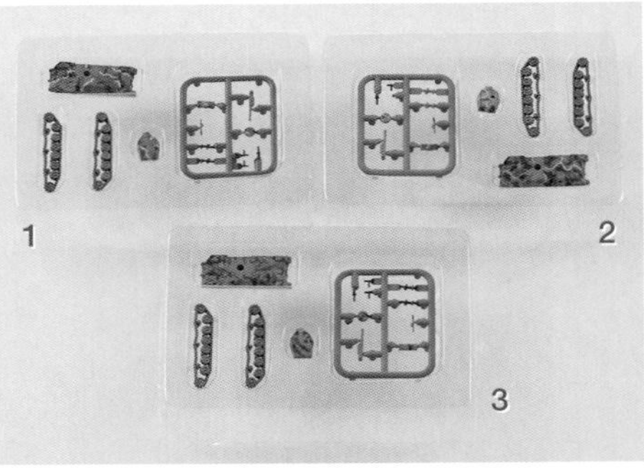

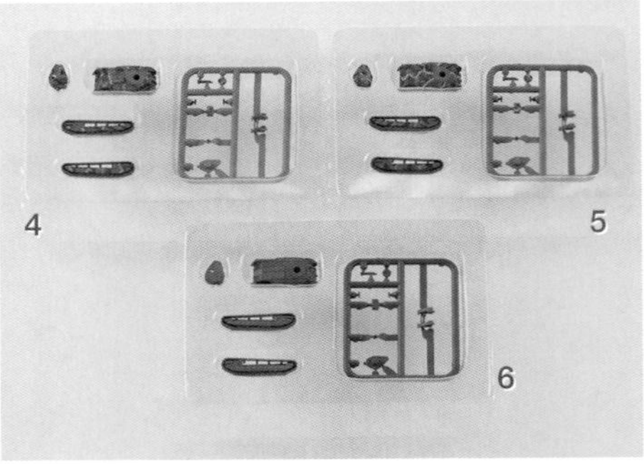

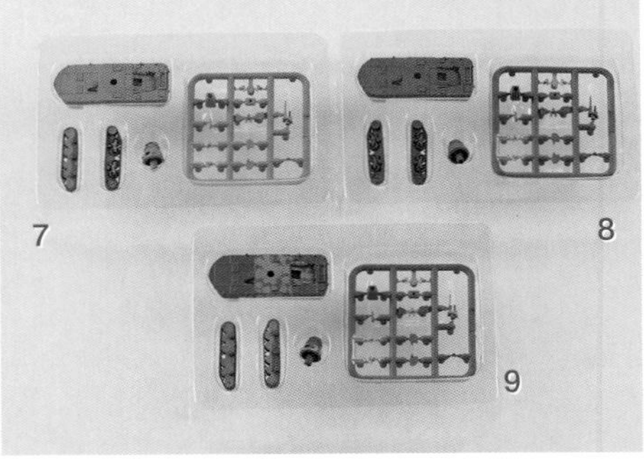

■1：九七式中戦車“チハ”／前期塗装
■2：九七式中戦車“チハ”／黄帯塗装
■3：九七式中戦車“チハ”／後期塗装
■4：八九式中戦車乙型／前期塗装
■5：八九式中戦車乙型／黄帯塗装
■6：八九式中戦車乙型／海軍陸戦隊
■7：特二式内火艇“カミ”／初期塗装
■8：特二式内火艇“カミ”／後期塗装
■9：特二式内火艇“カミ”／二色迷彩
■シークレット：九七式中戦車“チハ”／紅軍保有車両「功臣号」
■シークレット：1/35日本陸軍女性戦車兵フィギュア

▶VOL.3のシークレットは二種類あり、ひとつは中国が鹵獲して使った功臣号で、赤い星と名称のデカール付き。もうひとつは女性戦車兵フィギュア。

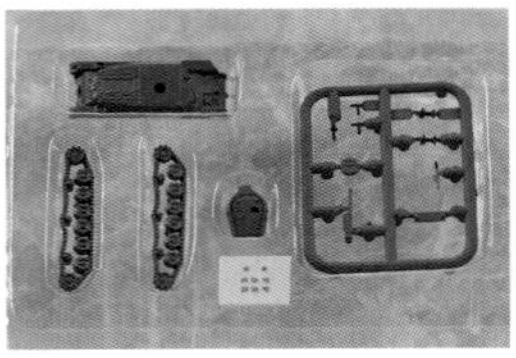

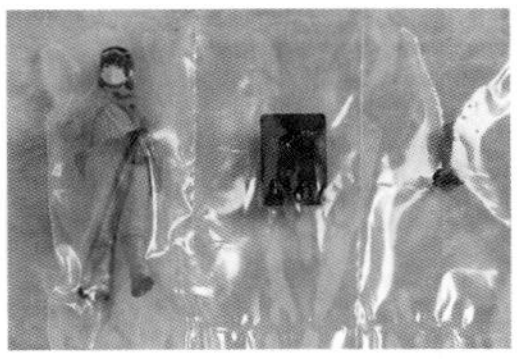

VOL.4　ドイツ機甲師団 アルデンヌ1944

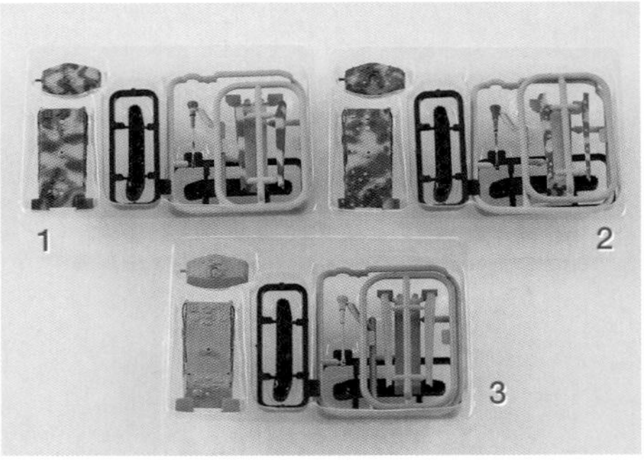

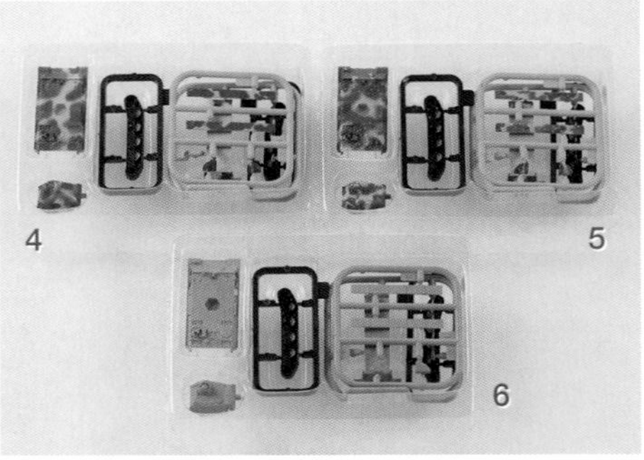

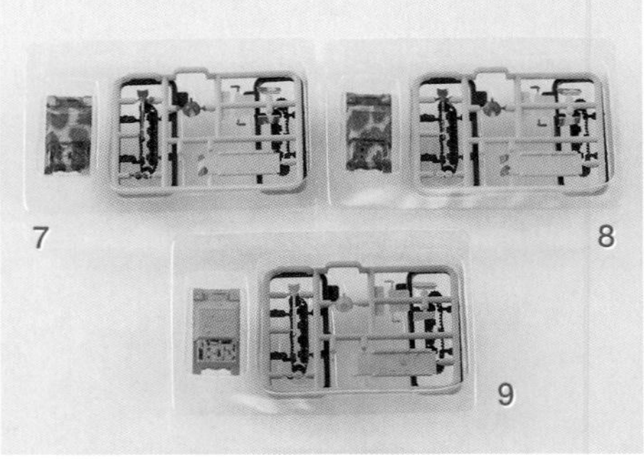

■1：ドイツ軍 ティーガーII重戦車／三色迷彩
■2：ドイツ軍 ティーガーII重戦車／光と影迷彩
■3：ドイツ軍 ティーガーII重戦車／単色塗装
■4：ドイツ軍 パンターG型後期型／三色迷彩
■5：ドイツ軍 パンターG型後期型／光と影迷彩
■6：ドイツ軍 パンターG型後期型／単色塗装
■7：ドイツ軍 IV号駆逐戦車/70(V)／三色迷彩
■8：ドイツ軍 IV号駆逐戦車/70(V)／光と影迷彩
■9：ドイツ軍 IV号駆逐戦車/70(V)／単色塗装
■シークレット：1/35水着女性フィギュア

▶VOL.4のシークレットはなぜか迷彩水着の女の子。ヘルメットとライフルが付属する。

VOL.5　決戦!! ドイツ軍対アメリカ軍

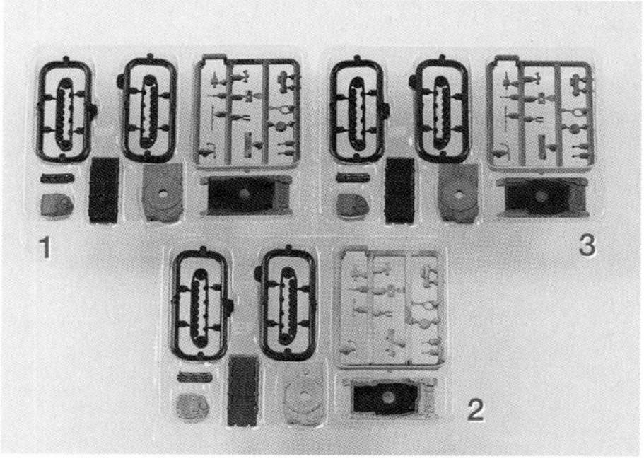

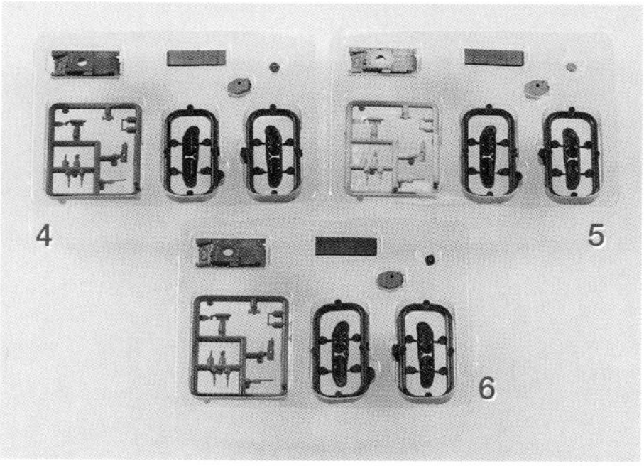

- ■１：IV号戦車Ｄ型／ジャーマングレー
- ■２：IV号戦車Ｄ型／冬季迷彩
- ■３：IV号戦車Ｄ型／２色迷彩
- ■４：38(t)戦車／ジャーマングレー
- ■５：38(t)戦車／冬季迷彩
- ■６：38(t)戦車／２色迷彩
- ■７：M3 LEE／オリーブドラブ
- ■８：M3 LEE／サンドイエロー
- ■９：M3 LEE／冬季迷彩
- ■シークレット：IV号戦車Ｄ型／シルバー塗装
- ■シークレット：38(t)戦車／ゴールド塗装
- ■シークレット：M3 LEE／ブロンズ塗装
- ■シークレット：1/35水着女性フィギュア

▲VOL.5のシークレットアイテムは豪華で、戦車三種のメタリック塗装バージョンが封入された。さらにVOL.4と同じ水着女子も。

VOL.6

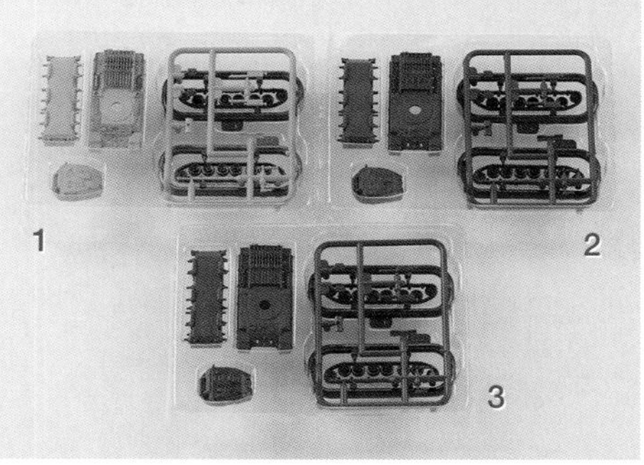

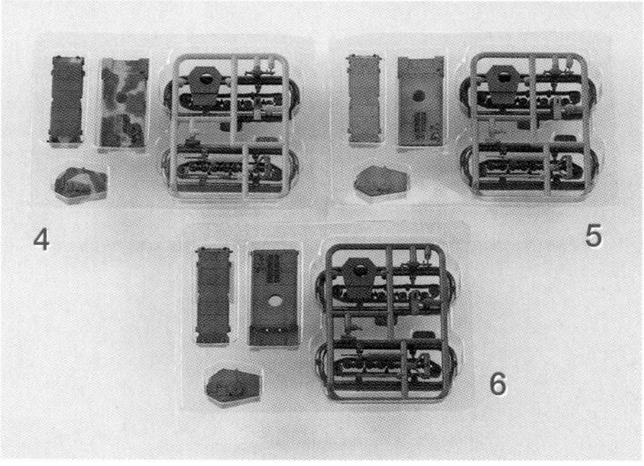

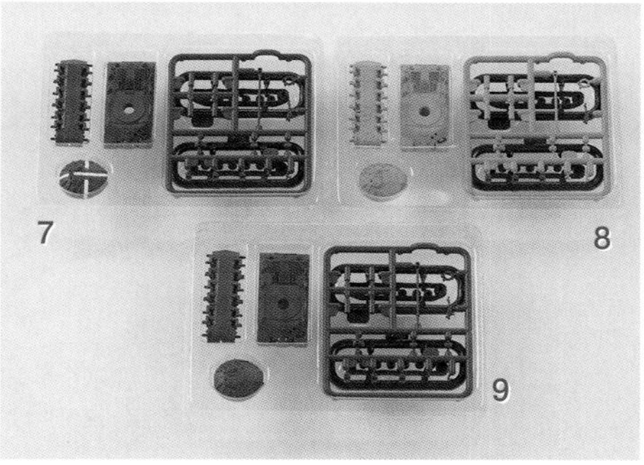

- ■１：センチュリオンMK1／WOTデザート仕様
- ■２：センチュリオンMK1／GPグレー仕様
- ■３：センチュリオンMK1／英国陸軍仕様
- ■４：五式中戦車／三色迷彩仕様
- ■５：五式中戦車／終戦時GHQ鹵獲摂収仕様
- ■６：五式中戦車／WOT単色仕様
- ■７：JS-3／1956年ハンガリー動乱時仕様
- ■８：JS-3／エジプト 1967年第125戦車旅団 第三次中東戦争仕様
- ■９：JS-3／本国配備仕様〈1945年〉

VOL.6ではサブタイトルがつかず、シークレットアイテムもなかった。

Panzerkampfwagen I
・有名な「ドイツ戦車」の元祖と言えるのが この I号戦車です。
モノの本によると I号戦車について、数合わせのための 訓練用豆戦車なんかではなく、「当時の技術と限られた財源で 製造されたその時期としては最高の戦車」 とあります。…そう言われると見え方が違ってきますね。
ヴェルサイユ条約で戦車を禁じられたドイツですが、こっそり研究は続けられていました。
ライバル
ヴィッカース社 カーデンロイド型 トラクター
いきなり戦車作れって
言われてもムリですよ
メーカーのひとびと
上部転輪もう1つ増やそう
リアドライブにしたら履帯外れちゃった
コツコツ試作
2人乗り
回転砲塔
ドライバーはこちらに
装甲板の質も要求に合わず突返えされたり。
シャーシだけ完成して戦斗室待ちになったり、その逆だったり
上なし
・・・・・
戦車を初めて量産するのは大変なことだった。
クルップの風呂桶とか言われる
始めから無線機がある！
A型
砲塔を外すとこんなかんじ。個人の荷物（2人分）でいっぱいです。
B型
キットはエンジンを強化して車体長が伸びた改良型のB型です。
とはいえ小口径弾に耐える程度の装甲しかなく、対戦車砲など喰らったらひとたまりもありません。
いいマトになる国籍マークを削り落としたり涙ぐましいです。
どきどき

Pz.Kpfw.I Ausf. B

I 号戦車B型（ドイツ・1935-37年）

■ドイツが初めて作った回転砲塔つき戦車の記念すべき第１号です。車体上部のないA型は1934年2月より、砲塔（銃塔）を載せたA型は7月から生産開始。車体を延長したB型は1935年8月から675両が生産されました。第二次大戦開始以降はさまざまな火砲を載せた自走砲の車台として活躍しています。

【SPECIFICATION】

重量：5.8 t	装甲厚：13㎜	速度：40㎞/h
全長：4.42m		乗員：２名
全幅：2.06m	兵装：機関銃×２挺	生産台数：675両
全高：1.72m		

基本がギッシリI号戦車
Pz.Kpfw.I Ausf. B
久しぶりの不定期マルモニュース　えと文／モリナガ・ヨウ
現在ワールドタンクミュージアムの解説マンガを作っていまして、久々にWW2ドイツ戦車を描きました。
資料として、故イエンツ先生のパンツァートラクツを見たんですけど、いくつか個人的な発見があり、今回はその辺のことを。
I号戦車だけどね
回転砲塔
I号戦車一人用砲塔。全てはここから始まったのですね〜。
パッド外してある。
で、このツマミである。何だろう…「トラベルロック」らしい。
そうか、固定装置がないと、走ったりする時にだんだんズレて回っちゃいそうだ。言われてみれば「そりゃそうだ」なんですが、目からウロコでした。
アクスバル個体。コード かけになっていた。
コマンダー席
シートベルトが着いている！
I号戦車はイスの後ろが定位置みたい。
・戦車には乗員の、ドイツ兵な個人装備も詰め込まれているのだ。内部図解や博物館車輌では省略される点です。
ライトカバー&
掃除具入れ
無線器
弾薬庫らしいが、ちゃんとカバーがあってビラビラしないようにハトメがついている。生真面目です。
ぎゅう
ポンチョも持ってるはず。
床下には予備履帯ケースがあった。左右2コマ、全4コマ入るみたいだ。
・ドライバー席まわりを見る。天井のパッドはともかく、砲塔リング脇にもクッションがついている。
戦前ドイツの細やか気配り
取手いっぱい
カバーがあるっぽい？
収納ケース
前
角のデッドスペースも予備弾倉入れにしてる。
下品に車外に並べる状況を迎える前の発想なんですね。
これでコートなんか持ち込んだら大変そうだ
参 オットー・カリウスの38(t)軽戦車。
荷物だらけで形がわかりませぬ。
極端な例だよね〜
クッション入りベレー
小さいのでいろいろ出っぱりまくってます。
絶対にクッション帽あったほうがいいと思うんですが、
止めちゃったというのはよっぽど不便な帽子だったんでしょう。
余談
ポルシェタイガー製造中写真を見るとなんか女の人が車内を覗いてるっぽい？
これ、パンプスじゃないかなあ…
情報求む（戦車＋女子ネタ）
モ13
祝 ワールドタンクミュージアム図鑑、おかげさまで重版決定！なんと8刷。そしてスペシャル帯つきで発売です。まさかのあの人が帯に！！感謝

Pz.Kpfw.I Ausf. B　　I号戦車B型（ドイツ・1935-37年）

■この頁はWTM用に描かれたものではなく、KIT版『VOL.1ドイツ電撃戦編1940』執筆のころ、月刊『アーマーモデリング』（小社刊）の巻末連載頁に掲載されたものです（2013年8月号）。I号戦車は二人乗りですから個人の荷物もなんとか車内に入れられますが、乗員が3〜5名に増えたII号〜IV号戦車では雑具箱がフェンダーや砲塔後部に増設されるようになりました。

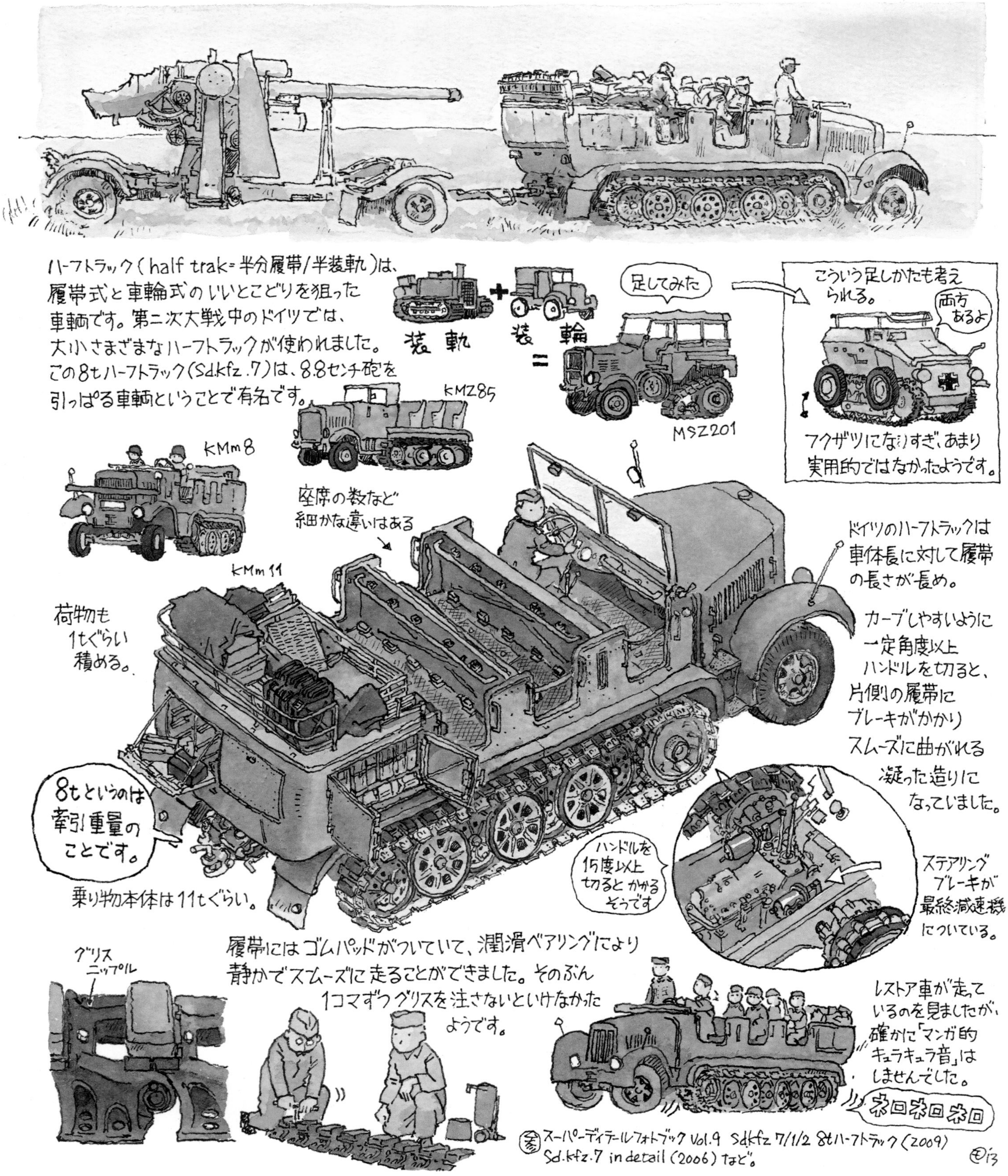
ハーフトラック（half trak＝半分履帯/半装軌）は、履帯式と車輪式のいいとこどりを狙った車輌です。第二次大戦中のドイツでは、大小さまざまなハーフトラックが使われました。この8tハーフトラック（Sd.kfz.7）は、8.8センチ砲を引っぱる車輌ということで有名です。
装軌
装輪
＝
足してみた
KMZ85
MSZ201
こういう足しかたも考えられる。
両方あるよ
フクザツになりすぎ、あまり実用的ではなかったようです。
KMm8
KMm11
座席の数など細かな違いはある
ドイツのハーフトラックは車体長に対して履帯の長さが長め。
荷物も1tぐらい積める。
カーブしやすいように一定角度以上ハンドルを切ると、片側の履帯にブレーキがかかりスムーズに曲がれる凝った造りになっていました。
8tというのは牽引重量のことです。
ハンドルを15度以上切るとかかるそうです
ステアリングブレーキが最終減速機についている。
乗り物本体は11tぐらい。
履帯にはゴムパッドがついていて、潤滑ベアリングにより静かでスムーズに走ることができました。そのぶん1コマずつグリスを注さないといけなかったようです。
グリスニップル
レストア車が走っているのを見ましたが、確かに「マンガ的キュラキュラ音」はしませんでした。
参 スーパーディテールフォトブック Vol.9 Sdkfz 7/1/2 8tハーフトラック（2009）
Sd.kfz.7 in detail（2006）など。
モ13

Sd.Kfz.7 8ton Semi Track

8トンハーフトラック（ドイツ・1938-45年）

■55頁でもふれましたが、ドイツ軍はとにかく多様なハーフトラックを作りました。8.8cm砲の牽引役であるということから、その代表的選手がこの８ｔハーフトラックでした。28頁のII号戦車＝北アフリカと同様、かつての模型少年たちのハーフトラック＝８ｔという刷り込みもやはり間違いなくタミヤMMシリーズのせいでしょう。

【SPECIFICATION】

重量：11.53 t
全長：4.42m
全幅：2.35m
全高：2.62m
装甲厚：なし
兵装：なし
速度：50km/h
乗員：１名
（乗車人数12名）
生産台数：？両

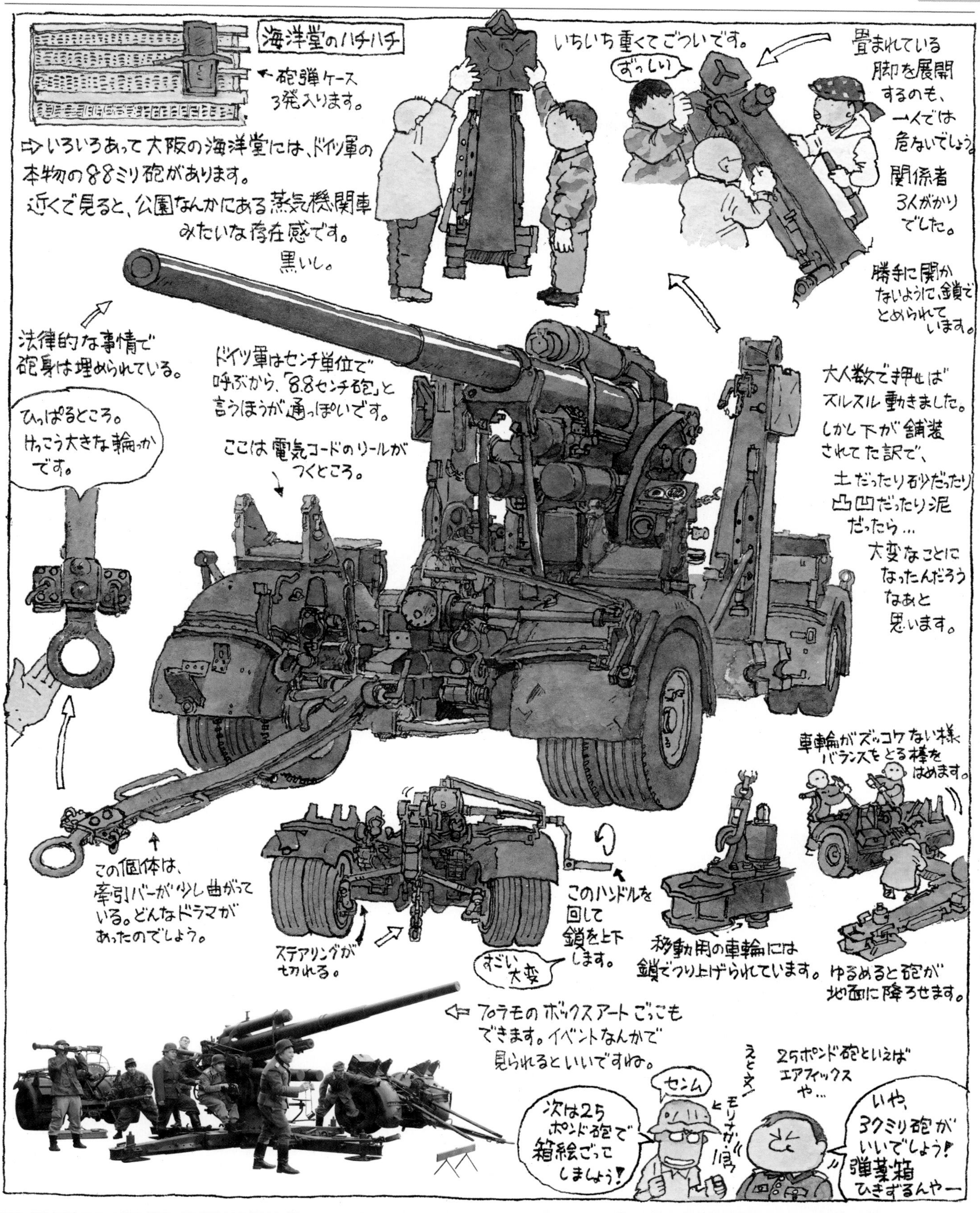
海洋堂のハチハチ
砲弾ケース
3発入ります。
⇨いろいろあって大阪の海洋堂には、ドイツ軍の
本物の88ミリ砲があります。
近くで見ると、公園なんかにある蒸気機関車
みたいな存在感です。
黒いし。
いちいち重くてごついです。
ずっしい
畳まれている
脚を展開
するのも、
一人では
危ないでしょう。
関係者
3人がかり
でした。
勝手に開か
ないように、鎖で
とめられて
います。
法律的な事情で
砲身は埋められている。
ドイツ軍はセンチ単位で
呼ぶから、「8.8センチ砲」と
言うほうが通っぽいです。
ひっぱるところ。
けっこう大きな輪っか
です。
ここは電気コードのリールが
つくところ。
大人数で押せば
スルスル動きました。
しかし下が舗装
されてた訳で、
土だったり砂だったり
凸凹だったり泥
だったら…
大変なことに
なったんだろう
なあと
思います。
車輪がズッコケない様
バランスをとる棒を
はめます。
この個体は、
牽引バーが少し曲がって
いる。どんなドラマが
あったのでしょう。
ステアリングが
切れる。
このハンドルを
回して
鎖を上下
します。
すごい
大変
移動用の車輪には
鎖でつり上げられています。
ゆるめると砲が
地面に降ろせます。
⇦プラモのボックスアートごっこも
できます。イベントなんかで
見られるといいですね。
センム
次は25
ポンド砲で
箱絵ごっこ
しましょう!
えと文
モリナガ・ヨウ
25ポンド砲といえば
エアフィックス
や…
いや、
37ミリ砲が
いいでしょう!
弾薬箱
ひきずるんやー

8.8cm Flak 36

8.8cm対空砲36型（ドイツ・1936-45年）

■1990年代の中頃から本物の小銃や機関銃に射撃不能な処置（ボルトの除去、銃身への開口など）を加えた「無可動実銃」が、美術品扱いで国内流通するようになりました。しかし、まさか8.8cm砲が輸入されているとは思いませんでした。そしてそれを宮脇センムが購入したのには驚かされました。歴史的遺産が屋根付きの場所でしっかり保管されているのは良いことです。

【SPECIFICATION】

口径：8,8cm	装甲貫通力：87mm	最大射程：11,900m
重量：7.4 t	（射距離1000m 、	有効射程：14,810m
砲身長：4,930mm	30°傾斜、	発射速度：15-20発／分
全高：2.10m	対戦車徹甲弾使用）	

ドイツ軍戦車兵ユニフォーム
・第2次大戦のドイツ戦車兵の服はウールで色は黒。油で汚れるから？というより「他とは違うぜ」感をもたせるためだったそうです。
ワイマール時代
（WW1戦車兵ツナギから推定彩色。少なくとも黒ではなさそう）
どくろマーク
海洋堂所蔵のモノから作画。
はじめはベレー帽だった。
保護帽入り
ヨーロッパは乾燥してるから、ウールで戦車に乗っても大丈夫。…日本だと厳しそうだ。
内ポケット
ヘッドホン
ドイツ戦車隊は無線機標準装備というのも新しかった。
ヘッドセットは必須アイテムなのです。
かなりの密閉型。呼んでも聞こえない。
目線下さーい
……
硬めのコタツコードみたいな質感。
会話するには咽頭マイクを使う。
記録写真やアニメでのどに手をやっているのは、このマイクを押し当てているのです。
つばを飲む音も拾うらしい。
車内の騒音は拾わない。
皮張りっぽいです。
スイッチ
咽頭マイク
ブラブラしないように、クリップがついていました。
ヘッドホンと合わせて車内のソケットに刺し込んで使います。
※ドイツ軍軍装道はそれはそれは超ディープな世界らしく、自分の手に負えません。ここではザックリしたところを。
中にはねずみ色のシャツなど。
ネクタイは黒。
「無線機道」も深いらしいぞ
ズボン。裾を締めるようにヒモがついてます。
懐中時計のポケット
前はジッパーではなくボタンでした。
ヒモ
だから戦車内はコードコードして（？）
あんまり動きまわれなかったのでは、と推測してます。
装てん手はヘッドセットなし

Wehrmacht Tank Crew ドイツ軍戦車兵（ドイツ・1939-45年）

■戦車の内部は狭いうえにゴツゴツしたものでいっぱいなので、頭部の保護はとても大事。しかし保護帽入りのドイツ戦車兵ベレーはかぶりごこちが悪いらしく、しかもかさばってヘッドフォンが使いづらく戦車兵に不人気でした。そこで歩兵用の略帽（色はフィールドグレー）をこっそりかぶる兵が続出、1940年3月27日にはついに戦車兵用の黒い略帽が制式化されたそうです

◎90式(きゅうまるしき)戦車は
1990年に制式化された戦車です。
海洋堂の取材で、先日乗せて
もらいました。
自動装てん装置つきで
3人乗り。
今回知ったのは、重機関銃の使い方。砲塔のまん中に
あって車長も砲手も使い難いじゃないか、と思っていました。
これは横向きに扱うんだそうです。なるほど―。
ペタン、と
軽く閉まる
フタ
細かくは
前のWTMシリーズを
解説書を見てね
(宣伝)
あれ?じゃあ
前の方の
地上目標は
やっぱり撃ちづらいじゃ
ないですか。
安心のサイレン
スコップなどは
ここに。
現物は無茶苦茶
大きくて、かつすごい
重量感です。
そういう時は
主砲の同軸機銃
を使う。
百発百中だそうです。
画面に入りきらなく
なってしまった…。
ガソリンの続く
限り前進や―!
で、センムたちと
走ってもらいました。
「殺人ブレーキ」という
急制動を体感しました。
※せっかく砲手席に入ったので
ペリスコープを覗いてみた。
うわあ、ガラスも何もない感じで
よく見える。
視点が
高い。
ナゾ色
サイドスカートを持ち上げるとこんな。支えの
棒がありました。
車長席には
センム。
自慢の
コレクション
米軍ジャケット
着用!
バルジ
大作戦
や
チャーフィー
…なんかハリウッド戦車映画みたいにとか。
でもいろいろ
ジャマで
顔をくっつけ
られません
モトジマ教官
くっつけ
ません。
チラ見
です。
…そうなんだ。
コンクリの上で履帯が滑るのを見ました。ありえない
回転スピードに、50トンの車体を走らせる足
まわりの実力を見る
思いです。
ギャギャギャ
別の機会に、大砲を作ってる工場の見学にも行きました。
大事なところはブルーシート。
定期メンテ中
大砲工場だから、場内の
スローガンポスターも
「一撃必殺」とか
高血圧なモノ
かと思ったら、
実に普通の
「工場」でした。
「ヒヤリ」を
活かして安全作業

TYPE 90 MBT

90式戦車(陸上自衛隊・1990年-)

■モリナガさんは海外の戦車イベントで戦車内部からペリスコープを覗いたことがあるそうです。

★本書折込裏に描いてある〝90式戦車の砲塔機銃の変な位置〟の謎が解けたことになります。英国のイベントの物販テントで米軍戦車のがゴロゴロ売ってて覗いたので、ペリスコープ経験値はわりと高いです。買っとけば良かったですねえ! 何かと使えたかも。(モ)

【SPECIFICATION】

重量:50.2 t	装甲:複合装甲	速度:70km/h
全長:9.75m		乗員:3名
全幅:3.33m	兵装:120mm滑腔砲×1門	生産台数:341両
全高:2.33m	機関銃×2挺	

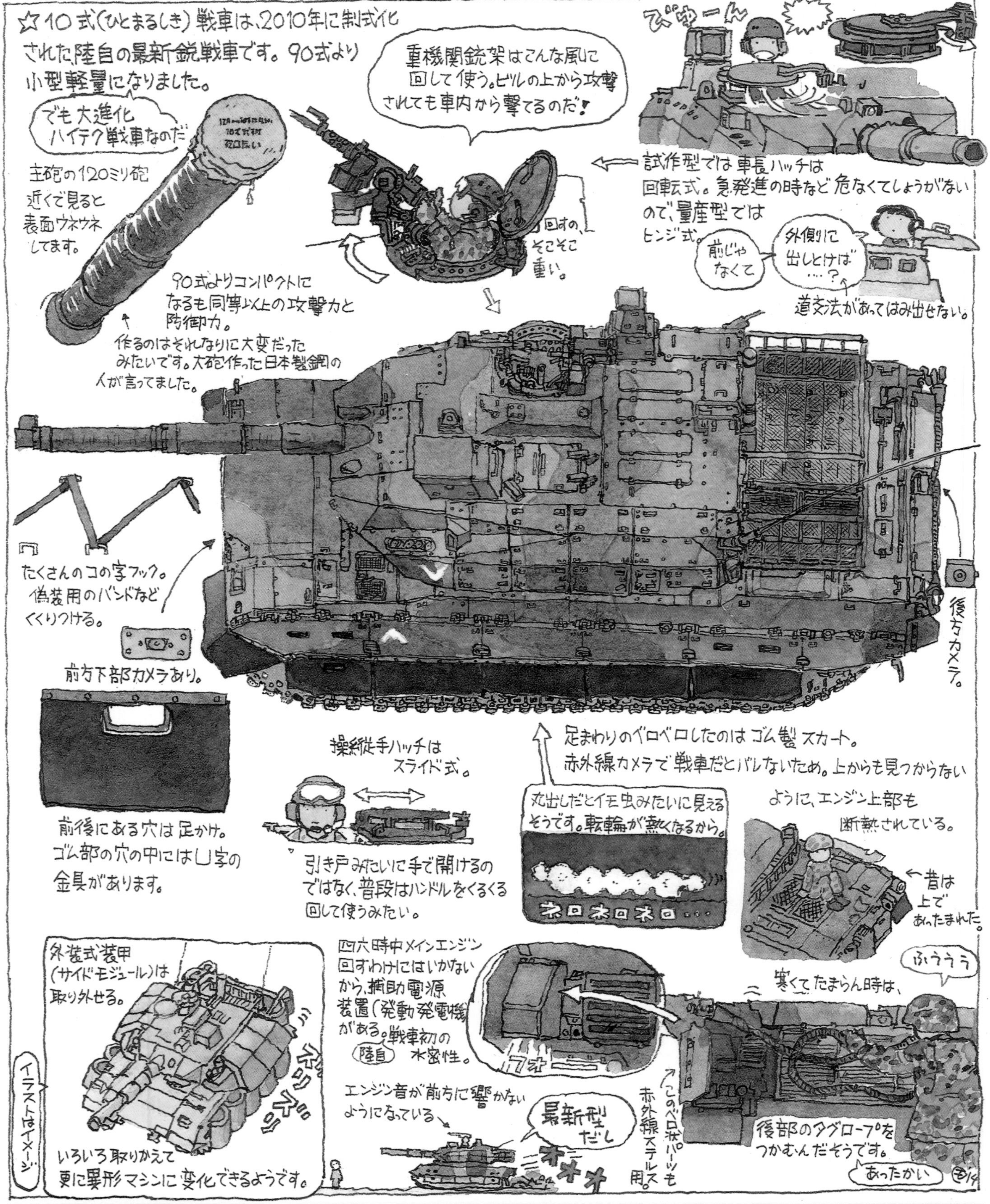
☆10式(ひとまるしき)戦車は、2010年に制式化された陸自の最新鋭戦車です。90式より小型軽量になりました。
でも大進化ハイテク戦車なのだ
主砲の120ミリ砲近くで見ると表面ウネウネしてます。
90式よりコンパクトになるも同等以上の攻撃力と防御力。
作るのはそれなりに大変だったみたいです。大砲作った日本製鋼の人が言ってました。
重機関銃架はこんな風に回して使う。ビルの上から攻撃されても車内から撃てるのだ!
回すの、そこそこ重い。
ぴゅーん
試作型では車長ハッチは回転式。急発進の時など危なくてしょうがないので、量産型ではヒンジ式。
前じゃなくて
外側に出しとけば…?
道交法があってはみ出せない。
たくさんのコの字フック。偽装用のバンドなどくくりつける。
前方下部カメラあり。
後方カメラ。
前後にある穴は足かけ。ゴム部の穴の中にはU字の金具があります。
操縦手ハッチはスライド式。
引き戸みたいに手で開けるのではなく、普段はハンドルをくるくる回して使うみたい。
足まわりのベロベロしたのはゴム製スカート。赤外線カメラで戦車だとバレないため。上からも見つからないように、エンジン上部も断熱されている。
丸出しだとイモ虫みたいに見えるそうです。転輪が熱くなるから。
ネロネロネロ…
←昔は上であったまれた。
外装式装甲(サイドモジュール)は取り外せる。
いろいろ取りかえて更に異形マシンに変化できるようです。
イラストはイメージ
四六時中メインエンジン回すわけにはいかないから、補助電源装置(発動発電機)がある。戦車初の(陸自)水密性。
フオー
エンジン音が前方に響かないようになっている。
最新型だし
オオオ
このベロ状パーツも赤外線ステルス用。
寒くてたまらん時は、
ふううう
後部のタグロープをつかむんだそうです。
あったかい

TYPE 10 MBT

10式戦車(陸上自衛隊・2010年-)

■国産主力戦車の最新型で2010年に制式化されました。車重は90式の50ｔよりも軽い44ｔとなりましたがモジュール装甲により防御力は高く、120㎜砲の弾薬は互換性があります。また俊敏な機動が可能な足周りと射撃管制システムが特徴ですが、富士総合火力演習で実施したスラローム射撃(蛇行しつつの行進間射撃)はもちろん、後退行進間射撃は観客の度肝を抜きました。

【SPECIFICATION】

重量：44ｔ	装甲：複合装甲	速度：70㎞/h
全長：9.42m		乗員：３名
全幅：3.24m	兵装：120㎜滑腔砲×１門	生産台数：90両〜
全高：2.30m	機関銃×２挺	

☆戦車並みの戦闘力を持ち、空輸や高速道路移動が
可能な新装備、それが高機動戦闘車です。
履帯(キャタピラ)の時代が終るというのでしょうか!?
戦車(タンク)誕生から100年…、少しさみしいですね。
2013年にお披露目されました。量産型はまたこれからいろいろ改良されていくでしょう。
ブツブツ生えてるのはアタッチメントの台座だと思う。
業界的に車輪(装輪)式の戦車は流行ではあるようです。
技術が進歩して、装輪式でも不整地走破性が上がりました。
4人乗り。自動装てんじゃない。
横向きで撃ってもひっくり返らない!
高さこのくらい
迅速な展開!
105ミリ砲といえば"74式"と同じです。
低反動化技術・射撃統制機能の進歩により、装輪車でもこんな大口径火砲が使えるようになりました。
未来っぽい砲口のガス抜き穴。
試作車はミシュランタイヤ
直接照準火力による撃破!
…基本、防衛省技術研究本部のパンフ受け売りなので夢いっぱいですね。
島嶼部における侵略事態対処
ゲリラや特殊部隊による攻撃対処
ガオーン
最高速度100km/hは出るそうです。
高速道路走れるって、料金はどうなるのか?特殊な自動車の場合車検証の提示を求め料金区分を確定するそうです。
……
高速道路のひとに聞いた。
ETCカード
はいっこの大型用ゲートを使うはず
大型車、ということになるのかな?(軸数4、車限令限度以下)

TYPE 16 MCV

16式機動戦闘車(陸上自衛隊・2016年-)

■装甲防御力や不整地での機動力は戦車に敵わないものの、105㎜砲装備の八輪装甲車という利点は多く、道路での高速移動はもちろん輸送機での空輸も可能な16式。戦車との協同や普通科部隊への火力支援など、連携しだいではかなりの戦力になるはずです。またこの足周りを流用した指揮通信車や歩兵戦闘車などの開発も進んでいるようです。

【SPECIFICATION】

重量:26 t	装甲:中空式増加装甲	速度:100㎞/h
全長:8.45m		乗員:4名
全幅:2.98m	兵装:105㎜砲×1門	生産台数:197両
全高:2.87m	機関銃×2挺	(令和4年度)

陸自戦車乗員最新スタイル
ともみん
え/文 モリナガ ヨウ
新型10《ヒトマル》式に合わせて、戦車帽も少し新しくなった。
スポンジの風よけが。
外殻は外すことができる。
内側はこんな感じ。
☆第一次大戦で近代戦車が生まれて100年、戦車の乗員も同じだけ歴史を重ねたことになります。第1機甲教育隊の協力の下、いろいろ見ていきましょう。
※各名称は平易な言葉にしています。正式にはよくわからないという話もある。
開いたところ。詰められるよう中にヒモがありました。
Tシャツも決まっているモノ。
本当はもっと頭が小さい。
うお！内帽パッドはロシア兵のような形ではないか。
マジックテープでサイズの調整ができる。
マイクが伸びていて細かく位置を調整できる。
こっちがわのイヤーカップには車内通話と無線の切り替えスイッチがある。
ブラブラしないようにクリップがついている。
ちなみにスピーカー側はこんな風です。ぴったりはまります。
髪はまとめるのが本式ですけどね…
オダンゴ
着付けをしてくれた女性隊員さま。
乗車時の偽装の一例。
車内では動きにくくなるから偽装はしない。
下車時の偽装の一例。
原地の植生等を考えて偽装せよと教科書に。
外に出てる戦車帽に偽装することはある。
ベルトに下げるところ。
レッグホルスター（ハードタイプ）
リュックサックみたいにカチッととめる。
あっ！銃刀法なんちゃらがあるから、この銃は硬質ゴム製です。
円みをおびた腿当て部分が硬い。
内側
戦闘靴2型（装甲用）
狭まれた時に足が引き抜ける工夫があるそうだぞ‼
評判も上々と浪江さんのご本に。
て詳しい人。
難燃性の服は、後ろに緊急時に引っぱり出せるようストラップがついている。どんな感じかやってみよう！
おお〜全然苦しくない〜！
ズズ
そんな風には使わないよ
戦車から引きずり出す時だけ。
そ、そうなんだ…。
モトジマ教官
も14

JGSDF Tank Crew

陸上自衛隊戦車搭乗員（陸上自衛隊）

■この頁ではトモミンが戦闘服（装甲用）を着て車長用司令塔に収まっていますが、実際の陸自機甲科でも､2020年に陸自初の女性戦車小隊長が誕生しています（第7師団・第72戦車連隊）。余談ですが、図中にある新型戦車帽の外殻側部の通気口は、冬はあまりに寒いので内側から黒ガムテープを貼ってしのぐ隊員もいるそうです（モトジマ教官談）。

無反動砲は上下に
動かせます。
まちぶせ〜

61式は車体前面の装甲板を
取り外せます。ボルトで
とめてあります。

投光器は内部
シャッターで光量
調節できる。
ズビーム

ぐりん
ぐりん
回転する砲塔。
想像以上に高速
車内にはつかまり
棒があります
ハードに
揺さぶられる。

車内は
白色です
見たもん。

斜面を利用して稜線射撃。
ゆるやかでも、前から見るとちゃんと
隠れます。

コブラー
そういえば
「コブラ」は「コブラ」
なんだね。
アメリカ製
だから？
商品名？

これらは『プラモデル』シリーズ第1、2弾の台紙に掲載されたもの。90式の稜線射撃はコブラに差し替えとなり、シークレットアイテム扱いに変更されたためカラーイラストは未発表となった。今回が初公開となる。

ワールドタンクミュージアムキット③日本戦車三種
九七式中戦車の砲塔をとりかえて、
対戦車能力に優れた
47ミリ砲を載せた。
新砲塔チハ
こんな感じ。一式47ミリ戦車砲。
1941年に生産開始。
88ミリ
欧州では
装甲と火力のインフレは
始まっていました。
75ミリ
機関銃は装甲カバーつき。
カバーだけで3キロあるらしい。
日本戦車は
リベットの
先も
とがらせる
銃弾をはじくのだ
シャーマン
相手は
大変なりよ。
ボルトがゆるまない
ように、針金で
補強されている。
今の新幹線も同じなのだ！
肉抜きいっぱいの
履帯。
ゴムにミゾが。
ソリッドゴムでパンクしないから、
戦後は荷車の車輪などに
使われました。
ロシアの農家とここでつながる！
八九式中戦車
初の国産量産戦車。
キットは「乙」型。
ゆっくり走るのだ
ディーゼルエンジン
（ガソリンエンジンの
タイプもあって
甲型という。）
1930年〜。
細かく
改造され、
乙型の生産開始は
1936年。
ともみん
大戦末期の
南方でも使われる。
最近あんまり聞かない
「十五年戦争」フル参加
戦車だ！
まん前に出入り口があるのに
時代を感じるのだった。けっこう高くて、出入りは難儀。
ゴムなし。
転輪
特二式内火艇
艇！
海軍で作った。フロートつきで、水陸両用の
超兵器なんだが…。浜辺に強襲すると激しくマトになりそう。
あんまり丈夫じゃない。
37ミリ砲
後ろに
スクリューが
ついている。
フロートを外すと、けっこうさみしい。
かど
どういう順番で
外すのか不明。
いっぺんに外すと進めなくなるのでは？
参『日本陸軍の戦車』KAMADO（2010）
『グランドパワー NO.30 第二次大戦の日本軍用車両』（1996.11）

Type 97 Chi-Ha "New Turret"　／Type 89 Otsu／Type 2 Ka-Mi　九七式中戦車"チハ"新砲塔／八九式中戦車 乙型／特二式内火艇"カミ"

■WTM初登場の日本戦車たちです。一番上は九七式の砲塔を新しくした改良型。ちなみに最近のロシアの戦車研究者たちはこの車両のことを「シンホートー」と呼んでいました。中段は陸軍初の主力戦車八九式。乙型が1両、日本で動態保存されています。下段は海軍の車両で、これ以降、特三〜五式と大型化していきました。

【SPECIFICATION】

【九七式中戦車（新砲塔）】	【八九式中戦車（乙型）】	【特二式内火艇】
重量：14.8t	重量：12.2t	重量：12.5t
装甲：25㎜	装甲：17㎜	装甲：12㎜
口径：47㎜	口径：57㎜	口径：37㎜

Ⅳ号戦車は7.5cm砲を積んだ
支援戦車として作られた。
大きめ。だから拡張の
余地があったのだ。
終戦まで使われる
ボコン
Ⅳ号戦車
(D型)
増加
装甲
初代は
1937年。
改良(?)され
つづけたけど
基本は同じ。
ちょっと不安な
3.7cm砲
38[t]
戦車
電撃戦の花形だけど、ドイツ製ではなく併合したチェコの戦車。38[t]のtはチェコの意味。
M3リー
中戦車
何とか75ミリ砲を
積みたかった。
武装いっぱいだ!
37ミリ砲
車長キューポラ
にも!(回る)
75ミリ砲
ここにも
2丁
あった。
サイズは戦車としては中くらい。
7人乗り。
有名なM4中戦車が作られ
はじめたので、あっという間に生産
終了する。でもアメリカだからたくさんできる。
砲塔の後ろに入る
工具箱。スペースの
都合とはいえ
何だかマニアック。
装甲インフレ前だから
薄め。貫通孔を直した
写真よく
見る。

Pz.Kpfw. IV Ausf D／Pz.Kpfw. 38(t)／M3 LEE

Ⅳ号戦車D型／38（t）戦車／M3 LEE

■Ⅲ号戦車の支援用だったⅣ号ですが、Ⅲ号が突撃砲用に回されたのでD型あたりから主砲や装甲が強化されました。38(t)の「t」はチェコのドイツ語表記「Tschechien＝チェッヒェン」の頭文字です。M3リーは1940年の開発ですが、当時のアメリカはまだ75㎜砲塔を載せる技術がなく車体への固定式になったのです。

【SPECIFICATION】

【Ⅳ号戦車D型】	【38(t)軽戦車】	【M3リー戦車】
重量：20t	重量：9.85t	重量：26.0t
装甲：30㎜	装甲：25㎜	装甲：51㎜
口径：7.5㎝	口径：3.7㎝	口径：75㎜／37㎜

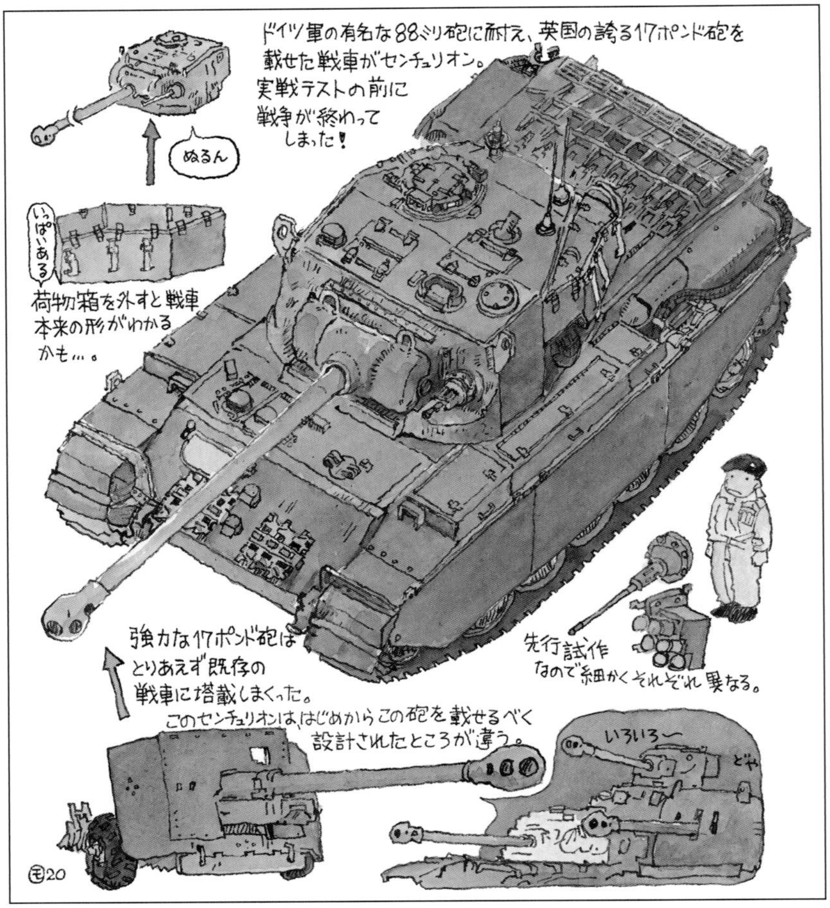
ドイツ軍の有名な88ミリ砲に耐え、英国の誇る17ポンド砲を載せた戦車がセンチュリオン。
実戦テストの前に戦争が終わってしまった！
ぬるん
いっぱいある
荷物箱を外すと戦車本来の形がわかるかも…。
強力な17ポンド砲はとりあえず既存の戦車に搭載しまくった。
このセンチュリオンは、はじめからこの砲を載せるべく設計されたところが違う。
先行試作なので細かくそれぞれ異なる。
いろいろ〜
どや

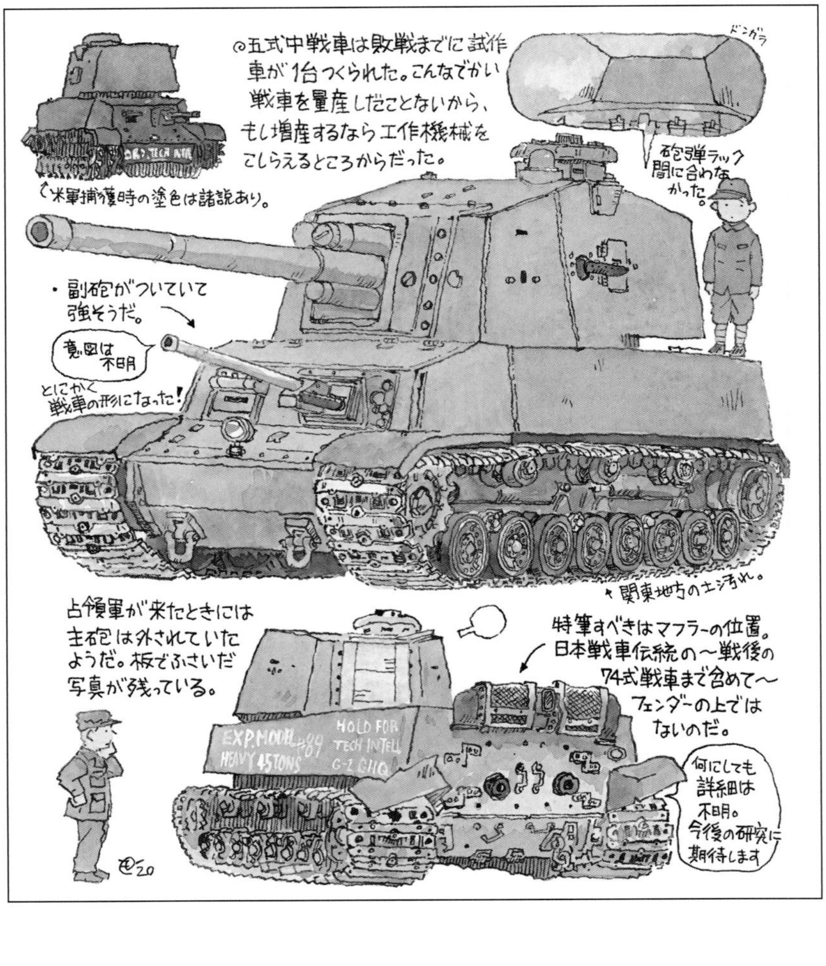
◎五式中戦車は敗戦までに試作車が1台つくられた。こんなでかい戦車を量産したことないから、もし増産するなら工作機械をこしらえるところからだった。
ドンガラ
砲弾ラック間に合わなかった。
↑米軍捕獲時の塗色は諸説あり。
・副砲がついていて強そうだ。
意図は不明
とにかく戦車の形になった！
↑関東地方の土汚れ。
占領軍が来たときには主砲は外されていたようだ。板でふさいだ写真が残っている。
特筆すべきはマフラーの位置。日本戦車伝統の〜戦後の74式戦車まで含めて〜フェンダーの上ではないのだ。
EXP. MODEL #89
HEAVY 45TONS
HOLD FOR TECH INTELL
G-2 GHQ
何にしても詳細は不明。今後の研究に期待します

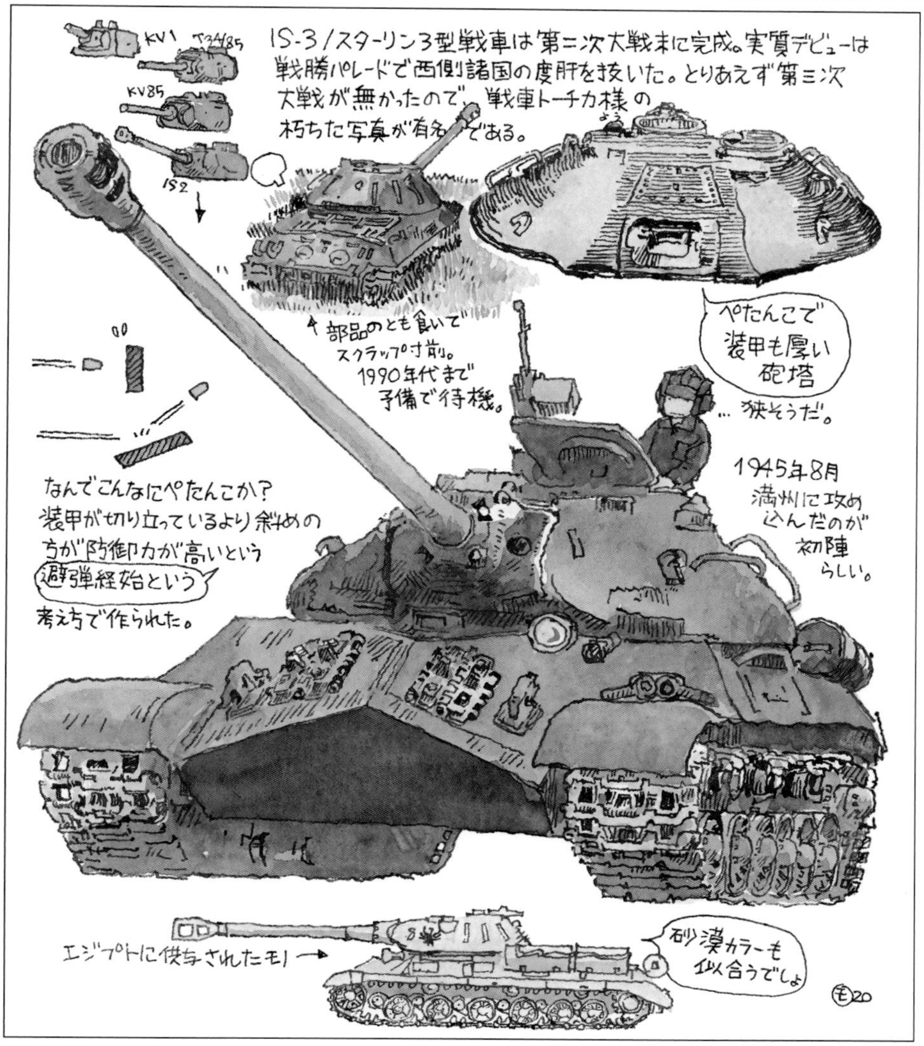
KV1
T34/85
KV85
IS2
IS-3／スターリン3型戦車は第二次大戦末に完成。実質デビューは戦勝パレードで西側諸国の度肝を抜いた。とりあえず第三次大戦が無かったので、戦車トーチカ様《よう》の朽ちた写真が有名である。
↑部品のとも食いでスクラップ寸前。1990年代まで予備で待機。
ぺたんこで装甲も厚い砲塔
…狭そうだ。
なんでこんなにぺたんこか？装甲が切り立っているより斜めの方が防御力が高いという
避弾経始という
考え方で作られた。
1945年8月満州に攻め込んだのが初陣らしい。
エジプトに供与されたモノ→
砂漠カラーも似合うでしょ
Ⓜ20

センチュリオンMk.1

■イギリス軍は快速の巡航戦車、重装甲の歩兵戦車という概念ではドイツ戦車に歯が立たないが、17ポンド砲ならティーガーでも撃破できることを知り、それら三要素を合わせて開発したのが重巡航戦車A41センチュリオンでした。1944年に20両が発注され対ドイツ戦用に６両が完成しましたが、ベルギーへの輸送中にドイツが降伏したため活躍できずに終わったのです。

【SPECIFICATION】
重量：52 t
全長：7.55m
全幅：3.39m
全高：3.01m
装甲厚：20～152㎜
兵装：17ポンド砲×１門
　　　機関銃×１挺
速度：--km/h
乗員：４名
生産台数：20両

五式中戦車

■日本陸軍はドイツ対ソ連の戦車戦の情報、とくに両軍の戦車の性能から対戦車戦闘を重視した中戦車開発を1943年に決定します。主砲の口径は75㎜、最大装甲厚75㎜、重量35ｔという、それまでの陸軍戦車の規格を大きく上回る新型中戦車として設計が開始され、1945 年３月に１両が完成しますが、連合軍戦車と撃ち合うことなく終戦を迎えることとなりました。

【SPECIFICATION】
重量：35 t
全長：8.46m
全幅：3.07m
全高：3.05m
装甲厚：20～75㎜
兵装：75㎜砲×１門
　　　37㎜砲×１門
　　　機関銃×２挺
速度：45㎞/h
乗員：５名
生産台数：１両

JS-3

■第二次世界大戦に間に合わなかった戦車シリーズ、その最後はソ連のJS-3。T-34からJS-2へ至るソ連戦車道の終着点のようなすごみがあります。JS-2よりも強力なドイツ軍の8.8㎝砲に対抗できる戦車として1944年４月から開発を開始。1945年５月には少数が完成しましたが対ドイツ戦には間に合いませんでした。しかし戦後、JS-3を元にT-10（101頁）が開発されるのです。

【SPECIFICATION】
重量：45.8 t
全長：9.85m
全幅：3.20m
全高：2.45m
装甲：20～110㎜
兵装：122㎜砲×１門
　　　機関銃×２挺
速度：40㎞/h
乗員：４名
生産台数：2,305両

新砲塔チハは日本国内には存在せず、アメリカ、中国、ロシアなどに保存されている。ロシアの車両は北方領土から運んだ残骸を修復、現用車両のエンジンと操向装置で走行可能な状態。

八九式戦車は奇跡的に乙型が1両、陸上自衛隊・武器学校に展示中。1980、2007年の二度の修復で自走可能となったが、二度目の際に機関室上面の形状が改造されている。写真はそれ以前のオリジナルの状態である。

ロシアのパトリオットパークに展示中の特二式はオリジナルの状態だが、モスクワの野外博物館の車両は新砲塔チハ同様、残骸を修復したもの。砲塔などは寸法が間違っているのが悲しい。

特別寄稿

モリナガ・ヨウが描き出してしまうサムシングの正体について

マライ・メントライン

Marei Mentlein

モリナガ・ヨウ氏と、あるドイツ関係書籍の表紙・挿絵の打ち合わせをしたときのこと。
「ドイツ車には、買ってから三年目にして初めてその存在がわかる収納スペースがあったりする。なんなんだこの忍者屋敷のような！ ドイツ人って何故？」
「ドイツ人は空間の極限活用にこだわるんです。作る側も使う側も。だから一見ムダのように見えて実はそうでもない。というか、そーゆー細部まで家族や友人に紹介して見せびらかしたがるのが、ドイツ人とゆー生き物なんです！」
……という話で盛り上がるや否や、彼は猛然と絵を描きはじめ、そのままドイツメカの箱根細工的なコダワリは何なのかという話に進み、いやぁ今ミニアート社1/35のⅣ号戦車つくってるんですけど、キットの内部再現性は実にやり過ぎで、でも自分的に、**あの主砲取付ボルトはキットのままでは貧弱で、48口径7.5cm戦車砲のリコイルを受け止められるとは思えないから、プラ材を切り出して自作したんですよーあっはっは！** と大笑いしながらⅣ号戦車の砲塔内部の絵を描き進めていた。「ドイツ」という一点を除いて、仕事の依頼内容とまるで無関係な展開だったことは言うまでもない。**だがそれがいい！**

モリナガ作品を観て読んで常に感じるのは、ミリタリー的な内容であろうとなかろうと読み心地が、というか知的刺激の深さ広さが変わらない点だ。テーマが戦車だろうと水族館だろうと工事現場だろうと文豪の書斎だろうと、モリナガ・ヨウ的な輝きと面白味はおどろくほどに不変である。よく考えるとこれは大変なことで、

・画力
・物的観察力
・心理観察力
・知的好奇心
・意味不明な執念

といった全要素が高次元でバランスしていないと成立しない。三位一体でさえ奇跡と言われているのに五位一体であり、もうこれだけで彼の超人性の証明には充分かもしれないが、あまり大きな声で主張するとキリスト教方面からいろいろ言われそうなのでやめておく。

彼の生態として「面白そうな視覚イメージや心像を何でも即描いちゃう」というのがある。アライグマが何でも洗ってしまうのと似ているが、しかしそれだけでは自律式偵察ドローン等とあまり変わらない。モリナガ・ヨウがアライグマや偵察ドローンと根本的に異なるのは、図像化にあたって対象となるモノの概念の再定義、特に「機能」面の表現を、独特の知的歓喜の中で行う点だろう。ウヒョー！

そう、本書のテーマである戦車もだが、彼が描くテーマは基本的に「モノ」であることが多い。だが実際、彼にとって「モノ」はテーマであるとともに触媒でもある。モリナガ・ヨウは戦車を描きながらいつのまにか、そのメカニズムを生み出した技術者の、社会の、政治の、要するに人間の「業」の深さとその悲喜劇的な本質というものを、実に味わい深く的確に描写してしまうのだ。まさにこれぞ鬼才の本懐。

一見ほのぼのしたトーンの画調にダマされてはいけない。ジャンルを選ばぬ底なしの好奇心に支えられた彼の人間観は、サブカル的であると同時にきわめて教養的で、そしてある意味、まるで子供向きでない。エログロとか皮相的な倫理性でオトナ向きとか言われるのとは次元が違う。モリナガ作品のカリスマ性の核心のひとつが、おそらくここにある。

「ジャンルを選ばぬ底なしの好奇心」というのは、アリストテレスに由来し、ライプニッツのあたりで行き詰まる博物学・普遍学的な世界観に直結している。じっさいモリナガ・ヨウの作品は、彼の感覚が捉えた「博物学的な風景」

◎文中に出てくるⅣ号戦車リコイル受けとめボルト絵はこんな感じでした。
ウヒョー
そんな冷静に見てたなんて
ジャーナリストこわい
←夫君

そのものといっても過言でない。機械や建築に投げかけられる場合にもその視線が自然科学的な「観察」めいた色彩を帯びるのは、決して偶然ではないだろう。モリナガ・ヨウの絵はジャンル的にマニアックであっても、事物の単なる羅列的なコレクションではなく、何らかの秘訣とルールによって再編・再構築された世界なのだ。そして見え隠れする「ここには見かけ以上に面白い文脈があるのだぞ」という暗示こそ、本来の意味での博物学的な色気というものだろう。

さて、戦車が属する戦争というのは酸鼻で酷薄な領域だ。平和な日常を満喫しながら兵器を愛好するミリオタ趣味にて、心理的にそのへんにどう折り合いをつけるかというのは地味に重要な問題であり、なるべく「兵器」と「死・悪・暴力」を切り離そうと試みるのが、趣味人として自然な心的作用といえる。戦車戦を「人の死なない学園スポーツ」に変形させた『ガールズ＆パンツァー（ガルパン）』シリーズはそのような心理的ニーズに的確に応えるコンテンツであり、そもそもそれが成功要因の一つだったともいえる。他方、われらがモリナガ・ヨウは温厚っぽい画風でありながらこのへんの整理が実にシビアで、**戦車が媒介するのは死のみ！**ということを常にわりと正面から直視しており、逃げたり言い訳したりする気がまるで無いらしいのが凄い、素晴らしい、諸行無常の響きあり。しかもその上でモリナガ氏はガルパン大好きでもあって、
「あの、クルセーダー巡航戦車が急制動をかける場面のですね、転輪とサスペンションの挙動が！　あのリアルさは単にスペック資料だけじゃ表現できない凄さがあってですね。そこにはやっぱりいわゆるサムシングががが！」
……とか、じかに力説されたことがある。そのへん内的に矛盾感が無いのが興味深い。さすがだ。また話自体もたいへんに面白い。と言ってしまうと、え？　まじで？　と驚く方がいらっしゃるかもしれないが、実際、謎すぎる専門用語を連打されて面白い瞬間というのは実在する。私は直木賞・芥川賞の候補作分析対談というイベントを書評家の杉江松恋氏と毎度Web上で行っているのだが、第164回（2021年１月）芥川賞候補となった、北海道にロシア軍が上陸して自衛隊と死闘を繰り広げる異色の短篇『小隊』（砂川文次）は、厳密なる考証にもとづくミリタリー内輪の専門用語の嵐なのに面白かった。この現象については、当該対談にて助力を仰いだロシア方面の軍事・政治研究エキスパートである小泉悠氏（月刊モデルグラフィックス誌でもお馴染み）からいただいた、

《得体の知れない専門用語の連打というのは、確かに一定の読者層にそっぽを向かれる弱点要素になりがちですけど、逆に「よく解らないながら、ここには何やら【世界】がある！」と読者を感覚的に引き込むマジカル作用もあったりします。小林多喜二の『蟹工船』なんかがその好例ですね》

という説明によってナルホドと納得した次第。本書のメインコンテンツであるWTMの各戦車説明のイラストエッセイについても同様のことが言えるだろう。しかも、こちらのほうはビジュアル付きだし文章も微妙に素人フレンドリーなので、知的に随分お得なのだ。

ところで、モリナガ・ヨウの視点は博物学・普遍学的だと先に書いたが、それは文化ジャンルの細分化と視野狭窄化が過度に進行した現代にて、実は新たな役割を持つのではないかと感じている。ひらたくいえば個人が展開するジャンルクロスオーバー的な思考の効用だ。

『モリナガ・ヨウのプラモ迷宮日記〈第２集〉』でも言及されている件だが、過日、モリナガ氏と議論したとき、彼はこんなことを語っていた。

「オットー・カリウス（ドイツのティーガー戦車エース）の手記とか読むと、民家が戦車戦の盾みたいな形でボコボコ破壊されたり、夜戦の照明代わりに燃やされたりするじゃないですか。あの当たり前みたく粉砕される家って、実は文芸的には、○○一族の三代にわたる凄いドラマの舞台となった家かもしれないんですよ。カラマーゾフの兄弟みたいな。そんな語るに値する立派な存在が、深くもない即物的な理由で簡単に爆発炎上させられちゃう、この圧倒的な不条理感！　これぞ戦争。教育的にも考えるに値する集団暴力の一側面ですよ。だから我々は、そーゆーモノとして戦記の背景描写をとらえたほうが、精神的に得るものが大きいように思うのです」

……そう、これだこれです。この想像力というか連想力というか、異ジャンル統合的な思考力。実にこれぞ、観点がむやみに散らかってしまった現代が真に求めている視座なのでは？　と私はひそかに思うのだ。

それはつまり、たとえば小林源文劇画を読むときの自分とドストエフスキーを読むときの自分が「別物」であっては何かに欠けるということ。時間と認識を断片化させながら日々を生き抜くイマドキの電脳的な生活習慣にとってこれは結構きついチャレンジだが、そのへん踏ん張っておかないと我々は環境の奴隷になってしまうのだ。がんばらねば。

……と、かようにモリナガ・ヨウと彼の作品はいろんな美味しい知的側面を持つのだが、実際のところ、博物学っぽいだの何だのという奥にあるその核心は何なのか。いろいろな描写や定義が可能であろうけど、個人的に、モリナガ氏については**文脈や文章のエッセンスを「描いて」しまう人**という印象が強い。少なくともそれは彼の深奥コアの近くにある特色だ。

ゆえに、うかつに文章の挿絵を依頼しようものなら、しばしば文章が喰われてしまう。単に「絵ヂカラ」が強いというだけでなく、まさに言霊的な文脈で文章が「絵」に上回られてしまうからなのだ。なんという奇異な事態！　そしてたぶんモリナガ・ヨウは、そんな能力にまったく無自覚だったりする。天才鬼才というのは得てしてそういうものだけど。

私は、表紙や挿絵を「文章のオマケ」みたくとらえる感覚に常々不満を持っていて、もっと楽器どうしのセッションみたいな互角な関係であってほしいと思っている。まあ別に「すべての本は絵本であるべき」とかそういう話ではないのだが……。

で、そんな人間にとって、モリナガ・ヨウとその才能というのは実に痛快な存在なのだ。まあ、わかってくれる人はこのへんの機微をわかってくれるのだけど、その数はまだ足りない。ぜんぜん足りない。

ということで、人類のジャンルクロスオーバー的想像力の底上げなどを図るためにも、モリナガ先生にはこの調子であと少なくとも50年ほどは現役でしぶとく生き永らえていただきたい。もちろん私もお手伝いするつもりではあるけれど、モリナガ・ヨウの居る居ないでそのへんの人類史的成果は大きく変わってくると思われるので、どうかひとつ、何卒よろしく御願い申し上げる次第。

以上です。

Marei Mentlein

ドイツ最北部、軍港の街・キールで生まれる。二度の日本留学を経て2008年より日本に在住。職業、ドイツ人。ほかに翻訳、通訳、エッセイ、アニメ作品のドイツ語監修など幅広く物書き業に携わる。著書に『ドイツ語エッセイ 笑うときにも真面目なんです』（NHK出版）、『本音で対論！　いまどきのドイツと日本』（PHP研究所、共著）などがある。Twitter：@marei_de_pon

参考文献

シュトルム&ドランクシリーズ No.3 Sdkfz250&251 ／戦車マガジン（1991）
シュトルム&ドランクシリーズ No.6 対戦車自走砲／戦車マガジン（1993）
SdKfz250 ドイツ軽装甲兵員輸送車Sdkfz250シリーズと
1tハーフトラックSdKfz10 ／デルタ出版（2001）
SdKfz251 ドイツ中型装甲兵員輸送車Sd.Kfz.251シリーズ
／デルタ出版（2002）
世界の戦車［2］第2次世界大戦後~現代編／デルタ出版（1999）
陸上自衛隊 車輌・装備ファイル／デルタ出版（2000）
M1A1戦車大図解：坂本 明／グリーンアロー出版（1991）
ぼくの見た戦争：高橋邦典／ポプラ社（2003）
世界の戦車：ケネス・マクセイ著、林 憲三訳／原書房（1984）
対戦車戦：ジョンウイークス著、戦史刊行会訳／原書房（1980）
改訂版 間違いだらけの自衛隊兵器カタログ：日本兵器研究会編／アリアドネ企画（1999）
劣化ウラン弾湾岸戦争で何が行われたか：国際行動センター劣化ウラン教育プロジェクト編、朝倉 修訳／日本評論社（1984）
戦後日本の戦車開発史：林 磐男／かや書房（2002）
前進よーい、前へ 陸上自衛隊戦車部隊：木元寛明／かや書房（1999）
異形戦車ものしり大百科：斎木伸夫／光人社（1998）
ドイツ戦車発達史：斎木伸夫／光人社（1999）
戦車メカニズム図鑑：上田 信／グランプリ出版（1997）
ポルシェ博士とヒトラー：折口 透／グランプリ出版（1998）
電撃戦 グーデリアン回想記：本郷 健訳／フジ出版社（1974）
クルップの歴史：ウイリアム・マンチェスター、鈴木 力訳／フジ出版社（1982）
電撃戦という幻：カール=ハインツ=フリーザー、大木 毅・安藤広一訳
／中央公論新社（2003）
中東戦争全史：山崎雅弘／学研M文庫（2001）
クビンカフォトアルバム／CA-ROCK PRESS（1999）
別冊ベストカー 戦闘車両デラックス 陸上自衛隊・陸戦兵器のすべてを見せます／三推社・講談社（2002）
ワールドムック176 戦場のG.I. ／ワールドフォトプレス（1995）
ミリタリーユニフォーム３ 第二次世界大戦米軍軍装ガイド／並木書房（1995）
ミリタリーユニフォーム４ 第二次世界大戦ドイツ軍兵装ガイド 完全版
／アルバン・並木書房（1997）
航空ファン別冊 第二次世界大戦のドイツ戦車 4号戦車写真集／文林堂(1978)
航空ファン別冊 第二次大戦のドイツ戦車自走砲戦車写真集／文林堂（1979）
ドイツ機甲師団 第二次世界大戦ブックス15：
ケネス・マクセイ、加登川幸太郎訳／サンケイ新聞社出版局（1971）
第2次世界大戦のドイツ戦車／サンデーアート社（1976）
電撃！ ドイツ戦車軍団：髙荷義之／主婦と生活社（1972）
壮烈！ ドイツ機甲軍団：中西立太／立風書房（1975）
黒騎士物語【愛蔵版】：小林源文／カマド（2008）
タミヤ戦場写真集／タミヤ
ドイツ軍車輌の塗装とマーク／サンデーアート社（1980）
日本陸軍の戦車／カマド（2010）
戦後の日本戦車／カマド（2009）
IV号戦車G～J型 ディテール写真集／新紀元社（2015）
スーパーディテールフォトブックVol.9 Sd.Kfz.7/1/2 ／モデルアート（2009）
独ソ戦 絶滅戦争の惨禍：大木 毅／岩波新書（2019）
Sherman Firefly／Barbarossa books
HARF-TRACK A History of American Semi-Tracked Vehicles／PRESIDIO
MICHAEL WITTMAN and the TIGER COMMANDERS OF THE LEIBSTANDARTE／J.J. Fedorowics Publishing Inc.
Vw Kubelwagen in detai／WWP
Schwimmwagen in detail／WWP
RUSSIAN TANKS AND ARMORED VEHICLES 1946-to the Present／Schiffer Military History M3 HALF-TRACK in action/Squadron signal publications 1996
Army Uniform of World War 2: Andrew Mollo, Malcolm McGregor／Blandford Press LTD 1973
Operation Barbarossa in photographs : Paul Carell／Schiffer Publishing Ltd. 1991 Panzerkampfwagen VI P (Sd.Kfz.181)：Thomas L. Jenz, Hilary L.Doyle／Darlington Productions, Inc 1999
Israeli Elite Units : Samuel M. Katz／Arms and Armour Press 1987
Sturm auf Moskau：Paur Le Merite 2002
PANZER TRACTS NO.1-1 Panzerkampfwagen I：Thomas L. Jentz／Panzer Tracts 2002
Panzer IV & Its Variants：Walter J. Spielberger／Schiffer 1993
Panzer IV：Thomas Anderson／Osprey 2021
Nuts & Bolts 37,38 Jagdpanzer IV／Nuts & Bolts 2016
STALIN：POSTACH ZACHODU／PELTA 1995
T-10 HEAVY TANK／Russian Mortor Books 2003
アハトゥンク・パンツァー No.2～7 ／大日本絵画（1991~2003）
パンツァーズ・アット・ソミュール No.1～3 ／大日本絵画（1990、1992）
パンツァータクティク／大日本絵画（2002）
「ハリコフの戦い」戦場写真集／大日本絵画（2001）
バラトン湖の戦い／大日本絵画（2000）
クルスクの戦い 戦場写真集 南部戦区 1943年7月／大日本絵画（2004）
ティーガー重戦車写真集／大日本絵画（1998）
ドイツ軍用車両戦場写真集／大日本絵画（1999）
第653重戦車駆逐大隊 戦闘記録集／大日本絵画（2000）
重駆逐戦車／大日本絵画（1994）
軽駆逐戦車／大日本絵画（1996）
突撃砲／大日本絵画（1997）
ティーガー戦車／大日本絵画（1998）
パンター戦車／大日本絵画（1999）
突撃砲兵（上・下）／大日本絵画（2002）
ティーガー 無敵戦車の伝説 1942~45（上・下）／大日本絵画（1991）
SS戦車隊（上・下）／大日本絵画（1994）
パンツァー・フォー／大日本絵画（1988）
ティーガー戦車隊（上・下）／大日本絵画（1995、1996）
世界の戦車イラストレイテッドシリーズ1~34 ／大日本絵画（2000 ~2005）
独ソ戦車戦シリーズ１～６／大日本絵画（2003 ~2004）
ジャーマン・タンクス／大日本絵画（1986）
D-DAY タンクバトルズ／大日本絵画（1987）
ラスト・オブ・ザ・パンツァーズ／大日本絵画（1987）
ドイツ陸軍戦史：上田 信／大日本絵画（2001）
泥まみれの虎 宮崎駿の妄想ノート：宮崎 駿／大日本絵画（2002）
戦場のドイツIV号戦車／大日本絵画（2007）
ドイツVI号戦車 ティーガーＩＥの全て／大日本絵画（2011）
ヴィレル・ボカージュ／大日本絵画（2005）
グロースドイッチュランド師団写真史／大日本絵画（1999）
武器と爆薬：小林源文／大日本絵画（2007）
バルジの戦い（上下）／大日本絵画（1993）
ヴィットマン（上下）／大日本絵画（2005）
陸上自衛隊 現用戦車写真集／大日本絵画（2014）

【雑誌】
グランドパワー／ガリレオ出版
パンツァー／アルゴノート
戦車マガジン／戦車マガジン
モデルアート別冊／モデルアート社
ホビージャパン別冊／ホビージャパン
タミヤニュース／タミヤ
モデルグラフィックス／大日本絵画
アーマーモデリング／大日本絵画

(順不同)

あとがき After word

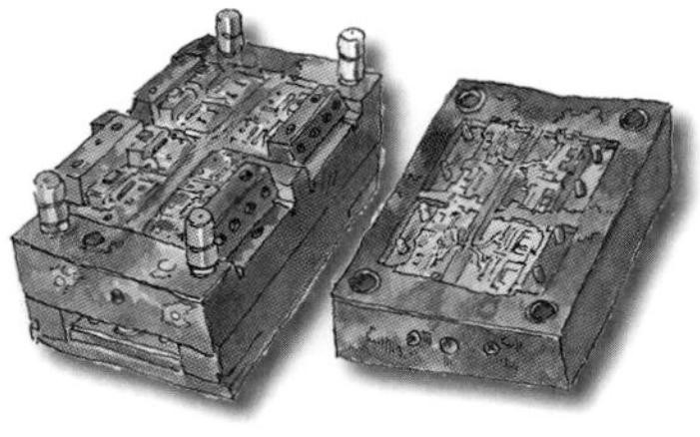

初めてワールドタンクミュージアムの原型を見せてもらった時の驚きは忘れられません。ホビーショーでアーマーモデリングの皆といるところを海洋堂センムに呼び止められ、記念に分けてもらいました（センムと会うのはまだ二回目くらいだったんじゃないでしょうか）。現物の模型を見て、このタンク企画には何がなんでも参加したいと強く思ったことを覚えています。

すでにチョコエッグや妖怪シリーズなどが出ていて、「このフィギュアは何なのか、他にどんなラインナップがあるのか」というような小さい紙が封入されていました。模型雑誌でイラスト記事を描き始めたばかりの自分にも出番があると思ったわけです。積極的にどんどん試作チラシを作っていた気がします。幸い実際に関わることができましたが、動物や妖怪フィギュアを集める人々と戦車模型専門誌を読む層は違っていそうです。「ダブったときあっけなく捨てられないようにしよう」と、１枚で完結した誰でも読める解説書を目指しました。模型雑誌で記事を描く前は旅行情報誌など一般誌で仕事をしていたので、そこでの経験がずいぶん活きたと思います。

自分自身も普通の戦車模型少年レベルの知識でしたから、制作は勉強しながらです。何かを知った喜びがそのまま出ていたのが良かったのかもしれません。うんちくはそれこそ無限なので、できるだけ手触りみたいな身体感覚に訴える話題を拾っていきました。

絵解き・図解について少しだけ解説しますと、ただ漫然とモノの周囲に文字が並べているだけのものとはちょっと違います。絵と字があってごちゃっとしてるだけに見えて、細かい交通整理がされています。伝えたいことが伝わる角度や絵としての見栄え、文と絵の分業などそれなりに工夫が必要です。また乗り物は前後がはっきりしていますが、とりわけ戦車は大砲があるので視線の誘導がしやすいようです。例えばジャガイモの解説まんがはまったく違う頭の使い方が必要となるでしょう。浴びるように見た図解や田宮模型のプラモ組み立て図、イラストエッセイなどが血肉となっているようです。

WTM20周年記念の本書をまとめている間に「小さい頃に集めてました」という声をずいぶん聞きました。絵本などいわゆる児童書を手がける前に、「こういうのが好きな子供たち」にちゃんと届いていたことになります。子供の頃に覚えた知識は一生忘れません。自分もそうでした。何事かを受け取って何事かを伝えていくのだと思います。残念なことに戦車なのですが。

第７弾までをまとめた『ワールドタンクミュージアム図鑑』は11版を重ねるロングセラーになりました。英語版や中国語、韓国語版も作られたりと幸せなことです。あ、「ガルパン帯」は自分の思いつきです。好きで見ていたアニメのキャラクターに帯を頼むというとても面白い経験ができました。『図鑑』発行後のシリーズを入れた増補版の話は何度もありましたが、ほとんど同じ内容の本を作るのは申しわけなくそのままになっていました。今回20周年記念ということで再スキャンしてみたら、旧版と色がかなり違っていて驚きました。今回のほうが原画に近いです。

なんかしみじみ巡り合わせみたいなものを感じております。解説を書いてくれたマライさん、センムをはじめ関係者の皆様、そして読者の皆様に感謝いたします。

モリナガ・ヨウ

ワールドタンク ミュージアム 全集

【著者略歴】
モリナガ・ヨウ ***MORINAGA Yoh***

1966年東京生まれ
早稲田大学教育学部卒（地理歴史専修）
漫画研究会所属

世界最古の現役美術雑誌『國華』編集部に隣接した家で少年時代を過ごす。
大学在学中よりカットイラストの仕事をはじめ、今日に至る。
イラストルポで独自の世界を築く。絵本も描く。
デビューは『朝日ウイークリー』［キャンパス光と影］イラスト。
●1996年：『空想科学読本』表紙オブジェ製作。
以後、同シリーズすべての表紙オブジェを19年間担当。
●1998年：『モデルグラフィックス』［35分の1スケールの迷宮物語］連載開始。
●2002年:タカラ／海洋堂『ワールドタンクミュージアム』解説用イラスト。
●2003年：タカラ／海洋堂『王立科学博物館』解説用イラスト。
●2004年：第８回文化庁メディア芸術祭漫画部門に
『35分の1スケールの迷宮物語』がノミネート（無念のノミネートどまり）。
クインビーガーデン『黒澤 明　よみがえる巨匠の現場』解説用イラスト。
●2005年『ワールドタンクミュージアム図鑑』出版。
●2009年：バンダイ『昭和銀座ジオラマ』イラスト担当。
●2010年：『UP』［トナリのシガク］、『歴史群像』［迷宮歴史倶楽部］連載開始。
●2015年：玉川学園『全人』［玉川発見伝］連載。
●2016年：『築地市場　絵でみる魚市場の一日』で第63回産経児童出版文化賞、大賞を受賞。東京銀座教文館ナルニア国にて原画展（９月）。
LIXIL出版『南極建築1957-2016』イラスト担当。
●2017年：早稲田学報特集『JAPANESE POPULAR CULTURE』特集号イラスト、アニメ『ガールズ&パンツァー最終章』ミリタリー監修
●2018年：松本清張記念館『清張オマージュ展』探訪松本清張記念館イラスト。ICU『一畳敷』展イラスト。土木学会誌『土木まくのうち』連載。
北九州市水環境館パネル。フジミ模型『名城シリーズ』組み立て説明図。
『伊能図探検　伝説の古地図を200倍楽しむ』（河出書房新社）挿画。
●2019年:舞台『最貧前線』パンフ［お芝居のできるまで］イラスト。『人生の諸問題五十越え』（日経BP）挿画。スターウォーズアプリ・年表制作。
●2020年:『新型コロナとワクチン　知らないと不都合な真実』挿画。『早稲田学報』特集「27のメッセージ」、特集「稲門祭への思い」挿画。
●2021年：松代文武学校案内図制作。舞台『新平和』宣伝美術。21〜22年『土木学会誌』表紙担当。商船三井HPカジュアルクルーズさんふらわあ、「さんふらわあで働く人たち」連載。『國華』清話会会報 第三十八号 令和三年秋刊「千歳烏山の國華社―子ども時代の記憶から」。
●2022年：早稲田ウイークリー『大隈重信って結局何者？　我輩のことをもっと知ってほしいのである』挿画。『モリナガ・ヨウの土木展』開催。
絵本『らんらんランドセル』（めくるむ）ランドセル原画展書店巡回。『伊能忠敬の古地図を歩く 江戸東京編』（河出書房新社）挿画。

『朝日ウイークリー』（朝日新聞社）『アーマーモデリング』（大日本絵画）『本郷』（吉川弘文館）『暮らしの知恵』（共同通信配信）などで連載中

■著書
『35分の1スケールの迷宮物語』、『あら、カナちゃん！』、『ワールドタンクミュージアム図鑑』、『東京右往左往』、『プラモ迷宮日記　第1集［フィールドグレイの巻］』、『同　第2集［ガンメタルの巻］』、『同　第3集［フラットレッドの巻］』『私家版戦車入門1　無限軌道の発明と英国タンク』、『同2　戦車のはじまり　ドイツ・フランス篇』（以上、小社刊）
『図録王立科学博物館』（共著、三才ブックス刊）
『働く車大全集』、『モリナガ・ヨウの土木現場に行ってみた！』（以上、アスペクト刊）
『新幹線と車両基地』（平成22年度厚生労働省児童福祉文化財推薦作品）、『消防車とハイパーレスキュー』、『ジェット機と空港・管制塔』（以上、あかね書房刊）
『図解絵本　東京スカイツリー』、『図解絵本　工事現場』（溝渕利明：監修）（以上、ポプラ社刊）
『築地市場　絵でみる魚市場の一日』（小峰書店）
『パタパタえほん　はしれ！ こうそくどうろ』、
『パタパタえほん　ぐる〜りすいぞくかん』（以上、ほるぷ出版刊）
『東京大学の学術遺産　捃拾帖』（メディアファクトリー刊）
『迷宮歴史倶楽部　戦時下日本の事物画報』（学研プラス刊）
『らんらんランドセル』（めくるむ刊）、など。

目玉ヘッツァー
えと文/モリナガ・ヨウ
このヘッツァーは、大戦末期の記録写真をもとに再現したモノです。チェコの工場で製造された、この時期のヘッツァーにははっきりした三色迷彩が塗られていたので、これもこんなかなあ…と。そうすると排気管の形も後期生産型にしないといけないかも？
目玉を消せば、普通のチェコ工場製ヘッツァーになります。
細かいことは気にするな！
ドイツ戦車でも乗員の趣味か、目玉を描いたモノがあるようです。
突撃砲の例
ティーガーI型のマズルブレーキ
実物はひとかかえくらいありそうだから（砲口8.8cm）けっこう目立ったかも
…しかしワールドタンクミュージアムのサイズでこんなこと言われてもっ
米軍シャーマン戦車の例
さすがにアメリカはやることが派手だ

▲『35分の１スケールの迷宮物語』通販限定版の付録用に特注された［目玉ヘッツァー］（48頁参照）。台紙イラストも著者によるもの。WTMとの深い関わりを示す貴重な一枚。

ワールドタンクミュージアム全集

2022年10月１日　初版第一刷
2023年11月30日　　　第三刷

著者／モリナガ・ヨウ

発行人／小川光二
発行所／株式会社大日本絵画
〒101-0054　東京都千代田区神田錦町1丁目7番地
Tel：03-3294-7861（代表）　Fax：03-3294-7865
http://www.kaiga.co.jp/

企画・編集／株式会社アートボックス
〒101-0054　東京都千代田区神田錦町1丁目7番地
錦町1丁目ビル4階
Tel：03-6820-7000　Fax：03-5281-8467
http://www.modelkasten.com/

編集／吉祥寺怪人
装丁・デザイン／横川　隆
DTPオペレーション／小野寺徹
撮影／株式会社インタニヤ

印刷・製本／大日本印刷株式会社

協力／株式会社 海洋堂、株式会社 エフトイズ・コンフェクト

◉本書に掲載された記事、図版、写真等の無断転載を禁じます。
© 2022　モリナガ・ヨウ／大日本絵画

ISBN978-4-499-23339-2